GOLDMANNS GELBE TASCHENBÜCHER

Band 587

———

Friedrich Nietzsche · Die Geburt der Tragödie

FRIEDRICH NIETZSCHE

Gesammelte Werke in 11 Bänden

FRIEDRICH NIETZSCHE

DIE GEBURT DER TRAGÖDIE

aus dem Geiste der Musik

(Griechentum und Pessimismus)

WILHELM GOLDMANN VERLAG

MÜNCHEN

UNGEKÜRZTE AUSGABE

II

6069 · Made in Germany
Umschlagentwurf unter Verwendung einer Reproduktion der
Radierung von Hans Olde. Foto: Nationale Forschungs- und
Gedenkstätten der klassischen deutschen Literatur in Weimar.
Gesetzt aus der Linotype-Garamond-Antiqua. Druck: Presse-
Druck- und Verlags-GmbH. Augsburg.
Verlagsnummer 587 · SCH

Einleitung

1872 hatte Friedrich Wilhelm Nietzsche „Die Geburt der Tragödie aus dem Geiste der Musik", dieses Frühwerk der ersten Periode seiner philosophischen Schriften, in Leipzig erscheinen lassen.

Seit 1869 beschäftigten den knapp fünfundzwanzig-jährigen außerordentlichen Professor der klassischen Philologie an der Universität Basel die für einen Philologen „schrullenhaften", seine Kollegen schockierenden philosophischen Gedanken, die diesem Werk zugrunde liegen.

1870 wurde er ordentlicher Professor. Anfang dieses Jahres hatte er im Museum in Basel zwei Vorträge: „Das griechische Musikdrama" und „Sokrates und die Tragödie" in kurzer Aufeinanderfolge gehalten, die das Thema seines Buches anklingen lassen. Der zweite Vortrag fand in den Kapiteln 8–15 mit Änderungen Aufnahme in sein Buch.

Er hatte sich damit als Wagnerianer und Schopenhauerianer deklariert, bei der orthodoxen Philologie unmöglich gemacht, aber auch keine Gegenliebe bei den damaligen Philosophen gefunden.

Im Jahr 1866 begann Nietzsches seelische Erkrankung. Sein Lebensunglück, seine Lebensauffassung und die daraus resultierende Vereinsamung drücken seiner Philosophie und seinen Gedanken schon in dieser Frühzeit den unverkennbaren Stempel auf, den selbst vorübergehende kurze Perioden des Glücks nicht mehr verwischen können. Nur unglückliche einsame Menschen werden das ermessen und Nietzsches Wort ganz verstehen können.

1868 hatte Nietzsche Richard Wagner kennengelernt. Bis 1872 wiederholten sich Besuche des wesentlich jüngeren „Herrn Professors" bei Wagner in Tribschen, der es verstand, den abgöttisch aufblickenden Jüngling für seine

Zwecke vorzuspannen, seinen Plänen auch mit dem Werk
„Die Geburt der Tragödie" dienstbar zu machen. Als Wagner, der Nietzsche nie verstand, ihn nicht mehr benötigte,
ließ er die Entfremdung eintreten, ja er höhnte ihn.

Und Nietzsche hatte in Wagner den deutschen Gott Dionysus gesehen, der dem deutschen Volk mit dionysischem
Zauber apollinischen Geist zur Geburt der Tragödie
schenkt: In Wagners Musik sah Nietzsche „die Lösung des
ernsthaften Problems", eines Problems, „das recht eigentlich in die Mitte deutscher Hoffnungen, als Wirbel und
Wendepunkt, hingestellt wird".

1878 kam die veränderte zweite Auflage des Werkes
„Die Geburt der Tragödie" heraus. 1886 schreibt Nietzsche
das harte zweite Vorwort; das Buch erscheint nun unter
dem Titel: „Die Geburt der Tragödie. Oder: Griechentum
und Pessimismus. Neue Ausgabe mit dem Versuch einer
Selbstkritik."

Wie entsagend, wie zutiefst entmutigend klingt die 1886
verfaßte Vorrede des nunmehr zweiundvierzigjährigen
Philosophen Nietzsche. Möge man diese doch erst nach der
Lektüre des Buches lesen.

Das Werk, diese wortgewaltige Kampfschrift, wendet sich
gegen die „feststehende" Bewertung des Griechentums und
der griechischen Kunst durch die heutigen „Modernen",
Humanisten wie Künstler. Die geradlinige Weiterentwicklung des griechischen Kunstschaffens von Homer bis zu den
großen griechischen Dramatikern wird negiert. Der Sokratismus habe die alte, unbeschwerte, dionysische Kunst vernichtet. Sie weise schon in ihrer Zeit ungeheure Klüfte, ein
Absteigen vom Genialen auf.

Silenos, Erzieher des „heiteren" berauschten, wonnetrunkenen Bacchus, der kunsttrunkene Satyr, wird mit seinem Fluch gegen das Menschengeschlecht nicht recht behalten: „Elendes Eintagsgeschlecht...! Das Allerbeste ist
gänzlich unerreichbar: nicht geboren zu sein ... Das Zweit-

beste – bald zu sterben!" Denn Nietzsche sieht eine von *beiden* kunstbildenden Göttern: Apollo und Dionysos gezeugte neue deutsche Kunst erstehen.

Die Metaphysik ist die Lehre von dem, was über die sinnliche Natur hinausgeht. Artistenmetaphysik betrieben zu haben, bekrittelt der ältere Nietzsche sein eigenes Jugendwerk.

Die tragisch-pessimistische Auffassung griechischer Kultur hat sich Nietzsche auch als gereifter Philosoph bewahrt. Die Formulierung der Begriffe „Dionysisch" und „Apollinisch" sind bei ihm für immer festgelegt, sie werden in späteren Werken nur abgewandelt.

Und es ist klar, wohin der Philsoph zielt, wenn er (in der „Morgenröte") schreibt: „In der Musik nämlich lassen sich die Menschen gehen, weil sie wähnen, es sei niemand da, der sie selber *unter* ihrer Musik zu sehen vermöge." Und weiter: „... zu lernen, daß unbedingte Huldigungen vor Personen etwas Lächerliches sind, daß hierin umlernen auch für Deutsche nicht unrühmlich ist ..."

„Die Geburt der Tragödie" ist – wenn auch von vielen negiert – ein ästhetisches Werk, sie fordert antiromantische Auffassung, Loslösung von idealistischen Illusionen, Selbstbefreiung von problematischen Relativismen.

Nietzsche stellt eine „Herrenmoral" auf, die der Lüge und dem Selbstbetrug den Kampf ansagt, eine Antithese gegen die christliche Moral, die keine mehr in seinem Sinne ist ...

Die textliche Fassung dieser Ausgabe folgt genau Nietzsches Wort; Lautstellung und Interpunktion sind beibehalten, wo sie heute nicht als störend und veraltet empfunden werden. Als maßgebliche Manuskriptunterlage wurde die Leipziger Ausgabe aus dem Jahre 1895 benützt. Der gesperrte Satz folgt Nietzsches Anweisung. In *Kursiv* ist Einprägsames ausgezeichnet.

Dr. Leo Winter

1

Was auch diesem fragwürdigen Buche zugrunde liegen mag: es muß eine Frage ersten Ranges und Reizes gewesen sein, noch dazu eine tief persönliche Frage – Zeugnis dafür ist die Zeit, in der es entstand, trotz der es entstand, die aufregende Zeit des Deutsch-Französischen Krieges von 1870/71. Während die Donner der Schlacht von Wörth über Europa weggingen, saß der Grübler und Rätselfreund, dem die Vaterschaft dieses Buches zuteil ward, irgendwo in einem Winkel der Alpen, sehr vergrübelt und verrätselt, folglich sehr bekümmert und unbekümmert zugleich, und schrieb seine Gedanken über die Griechen nieder – den Kern des wunderlichen und schlecht zugänglichen Buches, dem diese späte Vorrede (oder Nachrede) gewidmet sein soll. Einige Wochen darauf: und er befand sich selbst unter den Mauern von Metz, immer noch nicht losgekommen von den Fragezeichen, die er zur vorgeblichen „Heiterkeit" der Griechen und der griechischen Kunst gesetzt hatte; bis er endlich, in jenem Monat tiefster Spannung, als man in Versailles über den Frieden beriet, auch mit sich zum Frieden kam und, langsam von einer aus dem Felde heimgebrachten Krankheit genesend, die „Geburt der Tragödie aus dem Geiste der Musik" letztgültig bei sich feststellte. – Aus der Musik? Musik und Tragödie? Griechen und Tragödienmusik? Griechen und das Kunstwerk des Pessimismus? Die wohlgeratenste, schönste, bestbeneidete, zum Leben verführendste Art der bisherigen Menschen, die Griechen – wie? Gerade sie hatten die Tragödie nötig? Mehr noch – die Kunst? Wozu – griechische Kunst ...?

Man errät, an welche Stelle hiermit das große Fragezeichen vom Werte des Daseins gesetzt war. Ist Pessimismus **notwendig** das Zeichen des Niedergangs, Verfalls, des Mißratenseins, der ermüdeten und geschwächten Instinkte – wie er es bei den Indern war, wie er es, allem Anschein nach, bei uns, den „modernen" Menschen und Europäern, ist? Gibt es einen Pessimismus der S t ä r k e ? Eine intellektuelle Vorneigung für das Harte, Schauerliche, Böse, Problematische des Daseins aus *Wohlsein,* aus überströmender Gesundheit, aus F ü l l e des Daseins? Gibt es vielleicht ein Leiden an der Überfülle selbst? Eine versucherische Tapferkeit des schärfsten Blicks, die nach dem Furchtbaren v e r l a n g t , als nach dem Feinde, dem *würdigen* Feinde, an dem sie ihre *Kraft* erproben kann? An dem sie lernen will, was „das Fürchten" ist? Was bedeutet, gerade bei den Griechen der besten, stärksten, tapfersten Zeit der t r a g i s c h e Mythus? Und das ungeheure Phänomen des Dionysischen? Was, aus ihm geboren, die Tragödie? – Und wiederum: das, woran die Tragödie starb, der Sokratismus der Moral, die Dialektik, Genügsamkeit und Heiterkeit des theoretischen Menschen – wie? Könnte nicht gerade dieser Sokratismus ein Zeichen des Niedergangs, der Ermüdung, Erkrankung, der anarchisch sich lösenden Instinkte sein? Und die „griechische Heiterkeit" des späteren Griechentums nur eine Abendröte? Der epikurische Wille g e g e n den Pessimismus nur eine Vorsicht des Leidenden? Und die Wissenschaft selbst, unsere Wissenschaft – ja, was bedeutet überhaupt, als Symptom des Lebens angesehn, alle Wissenschaft? Wozu, schlimmer noch: w o h e r – alle Wissenschaft? Wie? Ist Wissenschaftlichkeit vielleicht nur eine Furcht und Ausflucht vor dem Pessimismus? Eine feine Notwehr gegen – die W a h r h e i t ? Und, moralisch geredet, etwas wie Feig- und Falschheit? Unmoralisch geredet: eine Schlauheit? O Sokrates, Sokrates, war das vielleicht d e i n Geheimnis? O geheimnisvoller Ironiker, war das vielleicht deine – Ironie ...?

2

Was ich damals zu fassen bekam, etwas Furchtbares und Gefährliches, ein Problem mit Hörnern, nicht notwendig gerade ein Stier, jedenfalls ein n e u e s Problem: heute würde ich sagen, daß es das P r o b l e m d e r W i s s e n s c h a f t *selbst* war – Wissenschaft zum ersten Male als problematisch, als fragwürdig gefaßt. Aber das Buch, in dem mein jugendlicher Mut und Argwohn sich damals ausließ – was für ein u n m ö g l i c h e s Buch mußte aus einer so jugendwidrigen Aufgabe erwachsen! Aufgebaut aus lauter vorzeitigen übergrünen Selbsterlebnissen, welche alle hart an der Schwelle des Mitteilbaren lagen, hingestellt auf den Boden der K u n s t – denn das Problem der Wissenschaft kann nicht auf dem Boden der Wissenschaft erkannt werden –, ein Buch vielleicht für Künstler mit dem Nebenhange analytischer und retrospektiver Fähigkeiten (das heißt für eine Ausnahmeart von Künstlern, nach denen man suchen muß und nicht einmal suchen möchte...), voller psychologischer Neuerungen und Artistenheimlichkeiten, mit einer Artistenmetaphysik im Hintergrunde, ein Jugendwerk voller Jugendmut und Jugend*schwermut,* unabhängig, trotzig-selbständig auch noch, wo es sich einer Autorität und eignen Verehrung zu beugen scheint, kurz ein Erstlingswerk auch in jedem schlimmen Sinne des Wortes, trotz seines greisenhaften Problems mit jedem Fehler der Jugend behaftet, vor allem mit ihrem „Vielzulang", ihrem „Sturm und Drang": andererseits, in Hinsicht auf den Erfolg, den es hatte (insonderheit bei dem großen Künstler, an den es sich wie zu einem Zwiegespräch wendete, bei *Richard Wagner*) ein b e w i e s e n e s Buch, ich meine ein solches, das jedenfalls „den Besten seiner Zeit" genuggetan hat. Daraufhin sollte es schon mit einiger Rücksicht und Schweigsamkeit behandelt werden; trotzdem will ich nicht gänzlich unterdrücken, wie unangenehm es mir jetzt erscheint, wie fremd es jetzt nach sechzehn Jahren vor mir steht – vor einem älteren, hundertmal verwöhnten, aber keineswegs kälter gewordenen Auge, das auch jener Aufgabe selbst nicht fremder wurde, an welche sich jenes verwegene Buch zum ersten Male herangewagt hat – die Wissenschaft unter der Optik des Künstlers zu sehn, die Kunst aber unter der des Lebens...

3

Nochmals gesagt, heute ist es mir ein unmögliches Buch – ich heiße es schlecht geschrieben, schwerfällig, peinlich, bilderwütig und bilderwirrig, gefühlsam, hier und da verzuckert bis zum Femininischen, ungleich im Tempo, ohne Willen zur logischen Sauberkeit, sehr überzeugt und deshalb des Beweisens sich überhebend, mißtrauisch selbst gegen die Schicklichkeit des Beweisens, als Buch für Eingeweihte, als „Musik" für solche, die auf Musik getauft, die auf gemeinsame und seltne Kunsterfahrungen hin von Anfang der Dinge an verbunden sind, als Erkennungszeichen für Blutsverwandte *in artibus* – ein hochmütiges und schwärmerisches Buch, das sich gegen das *Profanum vulgus* der „Gebildeten" von vornherein noch mehr als gegen das „Volk" abschließt, welches aber, wie seine Wirkung bewies und beweist, sich gut genug auch darauf verstehen muß, sich seine Mitschwärmer zu suchen und sie auf neue Schleichwege und Tanzplätze zu locken. Hier redete jedenfalls – das gestand man sich mit Neugierde ebenso als mit Abneigung ein – eine fremde Stimme, der Jünger eines noch „unbekannten Gottes", der sich einstweilen unter die Kapuze des Gelehrten, unter die Schwere und dialektische Unlustigkeit des Deutschen, selbst unter die schlechten Manieren des Wagnerianers versteckt hat; hier war ein Geist mit fremden, noch namenlosen Bedürfnissen, ein Gedächtnis strotzend von Fragen, Erfahrungen, Verborgenheiten, welchen der Name Dionysos wie ein Fragezeichen mehr beigeschrieben war; hier sprach – so sagte man sich mit Argwohn – etwas wie eine mystische und beinahe mänadische Seele, die mit Mühsal und willkürlich, fast unschlüssig darüber, ob sie sich mitteilen oder verbergen wolle, gleichsam in einer fremden Zunge stammelt. Sie hätte s i n g e n sollen, diese „neue Seele" – und nicht reden! Wie schade, daß ich, was ich damals zu sagen hatte, es nicht als Dichter zu sagen wagte: Ich hätte es vielleicht gekonnt! Oder mindestens als Philologe – bleibt doch auch heute noch für den Philologen auf diesem Gebiete beinahe alles zu entdecken und auszugraben! Vor allem das Problem, d a ß hier ein Problem vorliegt – und daß die Griechen, solange wir keine Antwort auf die Frage: „Was ist dionysisch?" haben, nach wie vor gänzlich unerkannt und unvorstellbar sind . . .

4

Ja, was ist dionysisch? – In diesem Buche steht eine Antwort darauf – ein „Wissender" redet da, der Eingeweihte und Jünger *seines* Gottes. Vielleicht würde ich jetzt vorsichtiger und weniger beredt von einer so schweren psychologischen Frage reden, wie sie der Ursprung der Tragödie bei den Griechen ist. Eine Grundfrage ist das Verhältnis des Griechen zum Schmerz, sein Grad von Sensibilität – blieb dies Verhältnis sich gleich? Oder drehte es sich um? –, jene Frage, ob wirklich sein immer stärkeres V e r l a n g e n n a c h S c h ö n h e i t, nach Festen, Lustbarkeiten, neuen Kulten, aus Mangel, aus Entbehrung, aus Melancholie, aus Schmerz erwachsen ist? Gesetzt nämlich, gerade dies wäre wahr – und Perikles (oder Thukydides) gibt es uns in der großen Leichenrede zu verstehen –: Woher müßte dann das entgegengesetzte Verlangen, das der Zeit nach früher hervortrat, stammen, das Verlangen nach dem Häßlichen, der gute strenge Wille des älteren Hellenen zum Pessimismus, zum tragischen Mythus, zum Bilde alles Furchtbaren, Bösen, Rätselhaften, Vernichtenden, Verhängnisvollen auf dem Grunde des Daseins – woher müßte dann die Tragödie stammen? Vielleicht aus der Lust, aus der Kraft, aus überströmender Gesundheit, aus übergroßer Fülle? Und welche Bedeutung hat dann, physiologisch gefragt, jener Wahnsinn, aus dem die tragische wie die komische Kunst erwuchs, der *dionysische Wahnsinn?* Wie? Ist Wahnsinn vielleicht nicht notwendig das Symptom der Entartung, des Niedergangs, der überspäten Kultur? Gibt es vielleicht – eine Frage für Irrenärzte – Neurosen der Gesundheit, der Volksjugend und -jugendlichkeit? Worauf weist jene Synthesis von Gott und Bock im Satyr? Aus welchem Selbsterlebnis, auf welchen Drang hin mußte sich der Grieche den dionysischen Schwärmer und Urmenschen als Satyr denken? Und was den Ursprung des tragischen Chors betrifft: Gab es in jenen Jahrhunderten, wo der griechische Leib blühte, die griechische Seele von Leben überschäumte, vielleicht endemische Entzückungen? Visionen und Halluzinationen, welche sich ganzen Gemeinden, ganzen Kultversammlungen mitteilten? Wie, wenn die Griechen, gerade im Reichtum ihrer Jugend, den Willen zum Tragischen hatten und *Pessimisten* waren? Wenn es gerade der Wahnsinn war, um ein Wort Platos zu gebrauchen, der die größten Segnungen über Hellas gebracht hat? Und wenn, andererseits und umgekehrt, die Griechen gerade in den Zeiten ihrer Auflösung und Schwäche immer optimistischer, oberflächlicher, schauspielerischer, auch nach Logik und Logisierung der Welt brünstiger, also zugleich „heiterer" und „wissenschaftlicher" wurden? Wie? Könnte vielleicht, allen „modernen Ideen" und Vorurteilen des demokratischen Geschmacks zum Trotz, der Sieg des Optimismus, die vorherrschend gewordene Vernünftigkeit, der praktische und theoretische Utilitarismus, gleich der Demokratie selbst, mit der er gleichzeitig ist – ein Symptom der absinkenden Kraft, des nahenden Alters, der physiologischen Ermüdung sein? Und gerade nicht – der Pessismismus? War Epikur ein Optimist – gerade als Leidender...? – Man sieht, es ist ein ganzes Bündel schwerer Fragen, mit dem sich dieses Buch belastet hat – fügen wir seine schwerste Frage noch hinzu! Was bedeutet unter der Optik des Lebens gesehn – *die Moral*...?

5

Bereits im Vorwort an Richard Wagner wird die Kunst – und nicht die Moral – als die eigentlich metaphysische Tätigkeit des Menschen hingestellt; im Buche selbst kehrt der anzügliche Satz mehrfach wieder, daß nur als ästhetisches Phänomen das Dasein der Welt gerechtfertigt ist. In der Tat, das ganze Buch kennt nur einen Künstlersinn und -*hintersinn* hinter allem Geschehen – einen „Gott", wenn man will, aber gewiß nur einen gänzlich unbedenklichen und *unmoralischen Künstler*gott, der im Bauen wie im Zerstören, im Guten wie im Schlimmen, seiner gleichen Lust und Selbstherrlichkeit innewerden will, der sich, Welten schaffend, von der Not der Fülle und Überfülle, vom Leiden der in ihm gedrängten Gegensätze löst. Die Welt, in jedem Augenblicke die erreichte Erlösung Gottes, als die ewig wechselnde, ewig neue Vision des Leidendsten, Gegensätzlichsten, Widerspruchreichsten, der nur im Scheine sich zu erlösen weiß: Diese ganze Artistenmetaphysik mag man willkürlich, müßig, phantastisch nennen – das Wesentliche daran ist, daß sie bereits einen Geist verrät, der sich einmal auf jede Gefahr hin gegen die moralische Ausdeutung und Bedeutsamkeit des Daseins zur Wehre setzen wird. Hier kündigt sich, vielleicht zum ersten Male, ein Pessimismus „jenseits von Gut und Böse" an, hier kommt jene „Perversität der Gesinnung" zu Wort und Formel, gegen welche Schopenhauer nicht müde geworden ist, im voraus seine zornigsten Flüche und Donnerkeile zu schleudern – eine Philosophie, welche es wagt, die Moral selbst in die Welt der Erscheinung zu setzen, *herabzusetzen* und nicht nur unter die „Erscheinungen" (im Sinne des idealistischen *Terminus technicus*), sondern unter die „Täuschungen", als Schein, Wahn, Irrtum, Ausdeutung, Zurechtmachung, Kunst. Vielleicht läßt sich die Tiefe dieses widermoralischen Hanges am besten aus dem behutsamen und feindseligen Schweigen ermessen, mit dem in dem ganzen Buche das Christentum behandelt ist – das Christentum als die ausschweifendste Durchfigurierung des moralischen Themas, welche die Menschheit bisher anzuhören bekommen hat. In Wahrheit, es gibt zu der rein ästhetischen Weltauslegung und Weltrechtfertigung, wie sie in diesem Buche gelehrt wird, keinen größeren Gegensatz als die christliche Lehre, welche nur moralisch ist und sein will und mit ihren absoluten Maßen, zum Beispiel schon mit ihrer Wahrhaftigkeit Gottes, die Kunst, jede Kunst ins Reich der Lüge verweist – das heißt verneint, verdammt, verurteilt. Hinter einer derartigen Denk- und Wertungsweise, welche kunstfeindlich sein muß, solange sie irgendwie echt ist, empfand ich von jeher auch das Lebensfeindliche, den ingrimmigen rachsüchtigen Widerwillen gegen das Leben selbst: Denn alles Leben ruht auf Schein, Kunst, Täuschung, Optik, Notwendigkeit des Perspektivischen und des Irrtums. Christentum war von Anfang an, wesentlich und gründlich, Ekel und *Überdruß des Lebens am Leben*, welcher sich unter dem Glauben an ein „anderes" oder „besseres" Leben nur verkleidete, nur versteckte, nur aufputzte. Der Haß auf die „Welt", der Fluch auf die Affekte, die Furcht vor der Schönheit und Sinnlichkeit, ein Jenseits, erfunden, um das Diesseits besser zu verleumden, im Grunde ein Verlangen ins Nichts, ans Ende, ins Ausruhen, hin zum „Sabbat der Sabbate" – dies alles dünkte mich, ebenso wie der unbedingte

Wille des Christentums, nur moralische Werte gelten zu
lassen, immer wie die gefährlichste und unheimlichste Form
aller möglichen Formen eines „Willens zum Untergang",
zum mindesten ein Zeichen tiefster Erkrankung, Müdigkeit,
Mißmutigkeit, Erschöpfung, Verarmung an Leben – denn
vor der Moral (insonderheit christlichen, das heißt unbedingten Moral) muß das Leben beständig und unvermeidlich unrecht bekommen, weil Leben etwas *essentiell* Unmo-
ralisches ist – muß endlich das Leben, erdrückt unter dem
Gewichte der Verachtung und des ewigen Nein, als be-
gehrensunwürdig, als *unwert an sich* empfunden werden.
Moral selbst – wie? Sollte Moral nicht ein „Wille zur Verneinung des Lebens", ein heimlicher Instinkt der Vernichtung, ein Verfalls-, Verkleinerungs-, Verleumdungsprinzip,
ein Anfang vom Ende sein? Und, folglich, die Gefahr der
Gefahren . . .? Gegen die Moral also kehrte sich damals,
mit diesem fragwürdigen Buche, mein Instinkt, als ein für-
sprechender Instinkt des Lebens, und erfand sich eine grund-
sätzliche Gegenlehre und Gegenwertung des Lebens, eine
rein artistische, eine antichristliche. Wie sie nennen?
Als Philologe und Mensch der Worte taufte ich sie, nicht
ohne einige Freiheit – denn wer wüßte den rechten Namen
des Antichrist? – auf den Namen eines griechischen Gottes:
Ich hieß sie die dionysische. –

6

Man versteht, an welche Aufgabe ich bereits mit diesem
Buche zu rühren wagte . . .? Wie sehr bedauere ich es jetzt,
daß ich damals noch nicht den Mut (oder die Un-
bescheidenheit?) hatte, um mir in jedem Betrachte für
so eigne Anschauungen und Wagnisse auch eine eigne
Sprache zu erlauben – daß ich mühselig mit Schopenhauerischen und Kantischen Formeln fremde und neue

Wertschätzungen auszudrücken suchte, welche dem Geiste Kantens und Schopenhauers, ebenso wie ihrem Geschmacke, von Grund aus entgegen gingen! Wie dachte doch Schopenhauer über die Tragödie? „Was allem Tragischen den eigentümlichen Schwung zur Erhebung gibt" — sagt er, Welt als Wille und Vorstellung II, 495 —, „ist das Aufgehen der Erkenntnis, daß die Welt, das Leben kein rechtes Genügen geben könne, mithin unsrer Anhänglichkeit nicht wert sei: Darin besteht der tragische Geist — er leitet demnach zur Resignation hin." Oh, wie anders redete Dionysos zu mir! O wie ferne war mir damals gerade dieser ganze Resignationismus! — Aber es gibt etwas viel Schlimmeres an dem Buche, das ich jetzt noch mehr bedauere, als mit Schopenhauerischen Formeln dionysische Ahnungen verdunkelt und verdorben zu haben: daß ich mir nämlich überhaupt das grandiose griechische Problem, wie mir es aufgegangen war, durch Einmischung der modernsten Dinge verdarb! Daß ich Hoffnungen anknüpfte, wo *nichts* zu hoffen war, wo alles allzu deutlich auf ein Ende hinwies! Daß ich auf Grund der deutschen letzten Musik vom „deutschen Wesen" zu fabeln begann, wie als ob es eben im Begriff sei, sich selbst zu entdecken und wiederzufinden — und das zu einer Zeit, wo der *deutsche Geist,* der nicht vor langem noch den Willen zur Herrschaft über Europa, die Kraft zur Führung Europas gehabt hatte, eben letztwillig und endgültig abdankte und, unter dem pomphaften Vorwande einer Reichsbegründung, seinen Übergang zur Vermittelmäßigung, zur Demokratie und den „modernen Ideen" machte! In der Tat, inzwischen lernte ich hoffnungslos und schonungslos genug von diesem „deutschen Wesen" denken, insgleichen von der jetzigen deutschen Musik, als welche Romantik durch und durch ist und die ungriechischeste aller möglichen Kunstformen: überdies aber eine Nervenverderberin ersten Ranges, doppelt gefährlich bei einem Volke, das den Trunk liebt und die Unklarheit als Tugend ehrt, nämlich in ihrer doppelten Eigenschaft als berauschendes und zugleich benebelndes Narkotikum. – Abseits freilich von allen übereilten Hoffnungen und fehlerhaften Nutzanwendungen auf Gegenwärtigstes, mit denen ich mir damals mein erstes Buch verdarb, bleibt das große dionysische Fragezeichen, wie es darin gesetzt ist, auch in betreff der Musik, fort und fort bestehn: Wie müßte eine Musik beschaffen sein, welche nicht mehr romantischen Ursprungs wäre, gleich der deutschen – sondern dionysischen...?

7

Aber, mein Herr, was in aller Welt ist Romantik, wenn nicht Ihr Buch Romantik ist? Läßt sich der tiefe Haß gegen „Jetztzeit", „Wirklichkeit" und „moderne Ideen" weiter treiben, als es in Ihrer Artistenmetaphysik geschehen ist? – Welche lieber noch an das Nichts, lieber noch an den Teufel als an das „Jetzt" glaubt? Brummt nicht ein Grundbaß von Zorn und Vernichtungslust unter aller Ihrer kontrapunktischen Stimmenkunst und Ohrenverführerei hinweg, eine wütende Entschlossenheit gegen alles, was „jetzt" ist – ein Wille, welcher nicht gar zu ferne vom praktischen Nihilismus ist und zu sagen scheint: „Lieber mag nichts wahr sein, als daß ihr recht hättet, als daß eure Wahrheit recht behielte!" Hören Sie selbst, mein Herr Pessimist und Kunstvergöttlicher, mit aufgeschloßnerem Ohre eine einzige ausgewählte Stelle Ihres Buches an, jene nicht unberedte Drachentöterstelle, welche für junge Ohren und Herzen verfänglich-rattenfängerisch klingen mag: Wie? Ist das nicht das echte rechte Romantikerbekenntnis von 1830, unter der Maske des Pessimismus von 1850? Hinter dem auch schon das übliche Romantikerfinale präludiert –: Bruch, Zusammenbruch, Rückkehr und Niedersturz vor einem alten Glauben, vor dem alten Gotte... Wie? Ist Ihr Pessimistenbuch

nicht selbst ein Stück Antigriechentum und Romantik, selbst
etwas „ebenso Berauschendes als Benebelndes", ein Narkotikum jedenfalls, ein Stück *Musik* sogar, deutscher Musik? Aber man höre:

Denken wir uns eine heranwachsende Generation mit dieser
Unerschrockenheit des Blicks, mit diesem heroischen Zug ins
Ungeheure, denken wir uns den kühnen Schritt dieser Drachen-
töter, die stolze Verwegenheit, mit der sie allen den Schwäch-
lichkeitsdoktrinen des Optimismus den Rücken kehren, um im
ganzen und vollen „resolut zu leben": Sollte es nicht nö-
tig sein, daß der tragische Mensch dieser Kultur, bei seiner
Selbsterziehung zum Ernst und zum Schrecken, eine *neue
Kunst*, die Kunst des metaphysischen Trostes, die
Tragödie als die ihm zugehörige Helena begehren und mit
Faust ausrufen muß:

> Und sollt' ich nicht, sehnsüchtigster Gewalt,
> ins Leben ziehn die einzigste Gestalt?

„Sollte es nicht nötig sein?" – Nein, dreimal nein, ihr
jungen Romantiker: Es sollte nicht nötig sein! Aber es ist
sehr wahrscheinlich, daß es so endet, daß ihr so endet,
nämlich „getröstet", wie geschrieben steht, *trotz* aller
Selbsterziehung zum Ernst und zum Schrecken, „meta-
physisch getröstet", kurz, wie Romantiker enden, christ-
lich... Nein! Ihr solltet vorerst die Kunst des diessei-
tigen Trostes lernen – ihr solltet lachen lernen, meine
jungen Freunde, wenn anders ihr durchaus Pessimisten
bleiben wollt; vielleicht daß ihr daraufhin, als *Lachende*,
irgendwann einmal alle metaphysische Trösterei zum Teufel schickt – und die Metaphysik voran! Oder um es in der
Sprache jenes dionysischen Unholds zu sagen, der Zarathustra heißt:

„Erhebt eure Herzen, meine Brüder, hoch, höher! Und
vergeßt mir auch die Beine nicht! Erhebt auch eure Beine,
ihr guten Tänzer, und besser noch: Ihr steht auch auf
dem Kopf!

Diese Krone des Lachenden, diese Rosenkranzkrone: Ich selber setze mir diese Krone auf, ich selber sprach heilig mein Gelächter. Keinen anderen fand ich heute stark genug dazu.

Zarathustra der Tänzer, Zarathustra der Leichte, der mit den Flügeln winkt, ein Flugbereiter, allen Vögeln zuwinkend, bereit und fertig, ein Selig-Leichtfertiger –:

Zarathustra der Wahrsager, Zarathustra der Wahrlacher, kein Ungeduldiger, kein Unbedingter, einer, der Sprünge und Seitensprünge liebt: Ich selber setzte mir diese Krone auf!

Diese Krone des Lachenden, diese Rosenkranzkrone: Euch, meinen Brüdern, werfe ich diese Krone zu! Das Lachen sprach ich heilig: Ihr höheren Menschen, l e r n t mir – lachen!"

Also sprach Zarathustra, IV. Teil.

Sils-Maria, Oberengadin,
im August 1886

DIE GEBURT
DER TRAGÖDIE
aus dem Geiste der Musik

Vorwort an Richard Wagner

Um mir alle die möglichen Bedenklichkeiten, Aufregungen
und Mißverständnisse ferne zu halten, zu denen die in dieser Schrift vereinigten Gedanken bei dem eigentümlichen
Charakter unserer ästhetischen Öffentlichkeit Anlaß geben
werden, und um auch die Einleitungsworte zu derselben
mit der gleichen beschaulichen Wonne schreiben zu können,
deren Zeichen sie selbst, als das Petrefakt guter und erheben-
der Stunden auf jedem Blatte trägt, vergegenwärtige ich mir
den Augenblick, in dem Sie, mein hochverehrter Freund,
diese Schrift empfangen werden: wie Sie, vielleicht nach
einer abendlichen Wanderung im Winterschnee, den ent-
fesselten Prometheus auf dem Titelblatte betrachten, meinen Namen lesen und sofort überzeugt sind, daß, mag in
dieser Schrift stehen, was da wolle, der Verfasser etwas
Ernstes und Eindringliches zu sagen hat, ebenfalls daß er,
bei allem, was er sich erdachte, mit Ihnen wie mit einem
Gegenwärtigen verkehrte und nur etwas dieser Gegenwart
Entsprechendes niederschreiben durfte. Sie werden dabei
sich erinnern, daß ich zu gleicher Zeit, als Ihre herrliche
Festschrift über Beethoven entstand, das heißt, in den
Schrecken und Erhabenheiten des eben ausgebrochnen Krieges, mich zu diesen Gedanken sammelte. Doch würden
diejenigen irren, welche etwa bei dieser Sammlung an den Gegensatz von patriotischer Erregung und ästhetischer Schwel-
gerei, von tapferem Ernst und heiterem Spiel denken soll-

ten: Denen möchte vielmehr, bei einem wirklichen Lesen dieser Schrift, zu ihrem Erstaunen deutlich werden, mit welchem ernsthaft deutschen Problem wir zu tun haben, das von uns recht eigentlich in die Mitte deutscher Hoffnungen, als Wirbel und Wendepunkt, hingestellt wird. Vielleicht aber wird es für ebendieselben überhaupt anstößig sein, ein ästhetisches Problem so ernst genommen zu sehn, falls sie nämlich in der Kunst nicht mehr als ein lustiges Nebenbei, als ein auch wohl zu missendes Schellengeklingel zum „Ernst des Daseins" zu erkennen imstande sind: als ob niemand wüßte, was es bei dieser Gegenüberstellung mit einem solchen „Ernste des Daseins" auf sich habe. Diesen Ernsthaften diene zur Belehrung, daß ich von der Kunst als der höchsten Aufgabe und der eigentlich metaphysischen Tätigkeit dieses Lebens im Sinne des Mannes überzeugt bin, dem ich hier, als meinem erhabenen Vorkämpfer auf dieser Bahn, diese Schrift gewidmet haben will.

Basel, Ende des Jahres 1871

1

Wir werden viel für die ästhetische Wissenschaft gewonnen haben, wenn wir *nicht nur zur logischen Einsicht,* sondern *zur unmittelbaren Sicherheit* der Anschauung gekommen sind, daß die Fortentwickelung der Kunst an die Duplizität des Apollinischen und des Dionysischen gebunden ist: in ähnlicher Weise, wie die Generation von der Zweiheit der Geschlechter, bei fortwährendem Kampfe und nur periodisch eintretender Versöhnung, abhängt. Diese Namen entlehnen wir von den Griechen, welche die tiefsinnigen Geheimlehren ihrer Kunstanschauung zwar nicht in Begriffen, aber in den eindringlich deutlichen Gestalten ihrer Götterwelt dem Einsichtigen vernehmbar machen. An ihre beiden Kunstgottheiten, *Apollo und Dionysus,* knüpft sich

unsere Erkenntnis, daß in der griechischen Welt ein ungeheurer Gegensatz, nach Ursprung und Zielen, zwischen der
Kunst des Bildners, der apollinischen, und der unbildlichen
Kunst der Musik, als der des Dionysus, besteht: Beide so
verschiedne Triebe gehen nebeneinander her, zumeist im
offnen Zwiespalt miteinander und sich gegenseitig zu
immer neuen kräftigeren Geburten reizend, um in ihnen
den Kampf jenes Gegensatzes zu perpetuieren, den das gemeinsame Wort „Kunst" nur scheinbar überbrückt; bis sie
endlich, durch einen metaphysischen Wunderakt des hellenischen „Willens", miteinander gepaart erscheinen und in
dieser Paarung zuletzt das ebenso dionysische als apollinische Kunstwerk der attischen Tragödie erzeugen.

Um uns jene beiden Triebe näherzubringen, denken wir
sie uns zunächst als die getrennten Kunstwelten des Traumes und des Rausches; zwischen welchen physiologischen Erscheinungen ein entsprechender Gegensatz wie
zwischen dem Apollinischen und dem Dionysischen zu be-
merken ist. Im Traume traten zuerst, nach der Vorstellung
des Lukretius, die herrlichen Göttergestalten vor die Seelen
der Menschen, im Traume sah der große Bildner den ent-
zückenden Gliederbau übermenschlicher Wesen, und der
hellenische Dichter, um die Geheimnisse der poetischen Zeugung befragt, würde ebenfalls an den Traum erinnert und
eine ähnliche Belehrung gegeben haben, wie sie Hans Sachs
in den Meistersingern gibt:

> Mein Freund, das grad ist Dichters Werk,
> daß er sein Träumen deut' und merk'.
> Glaubt mir, des Menschen wahrster Wahn,
> wird ihm im Traume aufgetan:
> All Dichtkunst und Poeterei
> ist nichts als Wahrtraumdeuterei.

Der schöne Schein der Traumwelten, in deren Erzeugung
jeder Mensch voller Künstler ist, ist die Voraussetzung
aller bildenden Kunst, ja auch, wie wir sehen werden, einer

wichtigen Hälfte der Poesie. Wir genießen im unmittelbaren Verständnisse der Gestalt, alle Formen sprechen zu uns, es gibt nichts Gleichgültiges und Unnötiges. Bei dem höchsten Leben dieser Traumwirklichkeit haben wir doch noch die durchschimmernde Empfindung ihres Scheins: wenigstens ist dies meine Erfahrung, für deren Häufigkeit, ja Normalität ich manches Zeugnis und die Aussprüche der Dichter beizubringen hätte. Der philosophische Mensch hat sogar das Vorgefühl, daß auch unter dieser Wirklichkeit, in der wir leben und sind, eine zweite ganz andre verborgen liege, daß also auch sie ein Schein sei; und Schopenhauer bezeichnet geradezu die Gabe, daß einem zuzeiten die Menschen und alle Dinge als bloße Phantome oder Traumbilder vorkommen, als das Kennzeichen philosophischer Befähigung. Wie nun der Philosoph zur Wirklichkeit des Daseins, so verhält sich der künstlerisch erregbare Mensch zur Wirklichkeit des Traumes; er sieht genau und gern zu: Denn aus diesen Bildern *deutet er sich das Leben,* an diesen Vorgängen *übt er sich für das Leben.* Nicht etwa nur die angenehmen und freundlichen Bilder sind es, die er mit jener Allverständlichkeit an sich erfährt: Auch das Ernste, Trübe, Traurige, Finstere, die plötzlichen Hemmungen, die Neckereien des Zufalls, die bänglichen Erwartungen, kurz die ganze „göttliche Komödie" des Lebens, mit dem Inferno, zieht an ihm vorbei, nicht nur wie ein Schattenspiel – denn er lebt und leidet mit in diesen Szenen – und doch auch nicht ohne jene flüchtige Empfindung des Scheins; und vielleicht erinnert sich mancher, gleich mir, in den Gefährlichkeiten und Schrecken des Traumes sich mitunter ermutigend und mit Erfolg zugerufen zu haben: „Es ist ein Traum! Ich will ihn weiterträumen!" Wie man mir auch von Personen erzählt hat, die die Kausalität eines und desselben Traumes über drei und mehr aufeinanderfolgende Nächte hin fortzusetzen imstande waren: Tatsachen, welche deutlich Zeugnis dafür abgeben, daß unser innerstes Wesen, der gemeinsame Untergrund von uns allen, mit tiefer Lust und freudiger Notwendigkeit den Traum an sich erfährt.

Diese freudige Notwendigkeit der Traumerfahrung ist gleichfalls von den Griechen in ihrem Apollo ausgedrückt worden: Apollo, als der Gott aller bildnerischen Kräfte, ist zugleich der wahrsagende Gott. Er, der seiner Wurzel nach der „Scheinende", die Lichtgottheit, ist, beherrscht auch den schönen Schein der inneren Phantasiewelt. Die höhere Wahrheit, die Vollkommenheit dieser Zustände im Gegensatz zu der lückenhaft verständlichen Tageswirklichkeit, sodann das tiefe Bewußtsein von der in Schlaf und Traum heilenden und helfenden Natur ist zugleich das symbolische Analogon der wahrsagenden Fähigkeit und überhaupt der Künste, durch die das Leben möglich und lebenswert gemacht wird. Aber auch jene zarte Linie, die das Traumbild nicht überschreiten darf, um nicht pathologisch zu wirken, widrigenfalls der Schein als plumpe Wirklichkeit uns betrügen würde – darf nicht im Bilde des Apollo fehlen: jene maßvolle Begrenzung, jene Freiheit von den wilderen Regungen, jene weisheitsvolle Ruhe des Bildnergottes. Sein Auge muß „sonnenhaft", gemäß seinem Ursprunge, sein; auch wenn es zürnt und unmutig blickt, liegt die Weihe des schönen Scheines auf ihm. Und so möchte von Apollo in einem exzentrischen Sinne das gelten, was Schopenhauer von dem im Schleier der Maja befangenen Menschen sagt: Welt als Wille und Vorstellung I, Seite 416: „Wie auf dem tobenden Meere, das, nach allen Seiten unbegrenzt, heulend Wellenberge erhebt und senkt, auf einem Kahn ein Schiffer sitzt, dem schwachen Fahrzeug vertrauend; so sitzt, mitten in einer Welt von Qualen, ruhig der einzelne Mensch, gestützt und vertrauend auf das *Principium individuationis.*" Ja es wäre von Apollo zu sagen, daß in ihm das unerschütterte Vertrauen auf jenes *Principium* und das ruhige Dasitzen des in ihm Befangenen seinen erhabensten Ausdruck bekommen habe, und man möchte selbst Apollo als das herrliche *Götterbild* des *Principii individuationis* bezeichnen, aus dessen Gebärden und Blicken die ganze Lust und Weisheit des „Scheines", samt seiner Schönheit, zu uns spräche.

An derselben Stelle hat uns Schopenhauer das ungeheure G r a u s e n geschildert, welches den Menschen ergreift, wenn er plötzlich an den Erkenntnisformen der Erscheinung irre wird, indem der Satz vom Grunde, in irgendeiner seiner Gestaltungen, eine Ausnahme zu erleiden scheint. Wenn wir zu diesem Grausen die wonnevolle Verzückung hinzunehmen, die bei demselben Zerbrechen des *Principii individuationis* aus dem innersten Grunde des Menschen, ja der Natur, emporsteigt, so tun wir einen Blick in das Wesen des D i o n y s i s c h e n, das uns am nächsten noch durch die Analogie des R a u s c h e s gebracht wird. Entweder durch den Einfluß des narkotischen Getränkes, von dem alle ursprünglichen Menschen und Völker in Hymnen sprechen, oder bei dem gewaltigen, die ganze Natur lustvoll durchdringenden Nahen des Frühlings erwachen jene dionysischen Regungen, in deren Steigerung das Subjektive zu völliger Selbstvergessenheit hinschwindet. Auch im deutschen Mittelalter wälzten sich unter der gleichen dionysischen Gewalt immer wachsende Scharen, singend und tanzend, von Ort zu Ort: In diesen Sankt-Johann- und Sankt-Veit-Tänzen erkennen wir die bacchischen Chöre der Griechen wieder, mit ihrer Vorgeschichte in Kleinasien, bis hin zu Babylon und den orgiastischen Sakäen. Es gibt Menschen, die, aus Mangel an Erfahrung oder aus Stumpfsinn, sich von solchen Erscheinungen wie von „Volkskrankheiten", spöttisch oder bedauernd im Gefühl der eigenen Gesundheit, abwenden: Die Armen ahnen freilich nicht, wie leichenfarbig und gespenstisch ebendiese ihre „Gesundheit" sich ausnimmt, wenn an ihnen das glühende Leben dionysischer Schwärmer vorüberbraust.

Unter dem Zauber des Dionysischen schließt sich nicht

nur der Bund zwischen Mensch und Mensch wieder zusammen: Auch die entfremdete, feindliche oder unterjochte Natur feiert wieder ihr Versöhnungsfest mit ihrem verlorenen Sohne, dem Menschen. Freiwillig beut die Erde ihre Gaben, und friedfertig nahen die Raubtiere der Felsen und der Wüste. Mit Blumen und Kränzen ist der Wagen des Dionysus überschüttet: unter seinem Joche schreiten Panther und Tiger. Man verwandele das Beethovensche Jubellied der „Freude" in ein Gemälde und bleibe mit seiner Einbildungskraft nicht zurück, wenn die Millionen schauervoll in den Staub sinken: So kann man sich dem Dionysischen nähern. Jetzt ist der Sklave freier Mann, jetzt zerbrechen alle die starren, feindseligen Abgrenzungen, die Not, Willkür oder „freche Mode" zwischen den Menschen festgesetzt haben. Jetzt, bei dem Evangelium der Weltenharmonie, fühlt sich jeder mit seinem Nächsten nicht nur vereinigt, versöhnt, verschmolzen, sondern eins, als ob der Schleier der Maja zerrissen wäre und nur noch in Fetzen vor dem geheimnisvollen *Ur*einen herumflattere. Singend und tanzend äußert sich der Mensch als Mitglied einer *höheren* Gemeinsamkeit: Er hat das Gehen und das Sprechen verlernt und ist auf dem Wege, tanzend in die Lüfte emporzufliegen. Aus seinen Gebärden spricht die Verzauberung. Wie jetzt die Tiere reden und die Erde Milch und Honig gibt, so tönt auch aus ihm etwas Übernatürliches: Als Gott fühlt er sich, er selbst wandelt jetzt so verzückt und erhoben, wie er die Götter im Traume wandeln sah. Der Mensch ist nicht mehr Künstler, er ist *Kunstwerk* geworden: Die Kunstgewalt der ganzen Natur, zur höchsten Wonnebefriedigung des *Ur*einen, offenbart sich hier unter den Schauern des Rausches. Der edelste Ton, der kostbarste Marmor wird hier geknetet und behauen, *der Mensch,* und zu den Meißelschlägen des dionysischen Weltenkünstlers tönt der eleusinische Mysterienruf: „Ihr stürzt nieder, Millionen? Ahnest du den Schöpfer, Welt?" –

2

Wir haben bis jetzt das Apollinische und seinen Gegensatz, das Dionysische, als *künstlerische Mächte* betrachtet, die aus der Natur selbst, ohne Vermittelung des menschlichen Künstlers, hervorbrechen und in denen sich ihre Kunsttriebe zunächst und auf direktem Wege befriedigen: einmal als die Bilderwelt des Traumes, deren Vollkommenheit ohne jeden Zusammenhang mit der intellektuellen Höhe oder künstlerischen Bildung des einzelnen ist, andererseits als rauschvolle Wirklichkeit, die wiederum des einzelnen nicht achtet, sondern sogar das Individuum zu vernichten und durch eine mystische Einheitsempfindung zu erlösen sucht. Diesen unmittelbaren Kunstzuständen der Natur gegenüber ist jeder Künstler „Nachahmer", und zwar entweder apollinischer Traumkünstler oder dionysischer Rauschkünstler oder endlich – wie beispielsweise in der griechischen Tragödie – *zugleich* Rausch- und Traumkünstler: als welchen wir uns etwa zu denken haben, wie er, in der dionysischen Trunkenheit und mystischen Selbstentäußerung, einsam und abseits von den schwärmenden Chören niedersinkt und wie sich ihm nun, durch apollinische Traumeinwirkung, sein eigener Zustand, das heißt seine *Einheit* mit dem innersten Grunde der Welt, in einem gleichnisartigen Traumbilde offenbart.

Nach diesen allgemeinen Voraussetzungen und Gegenüberstellungen nahen wir uns jetzt den Griechen, um zu erkennen, in welchem Grade und bis zu welcher Höhe jene Kunsttriebe der Natur in ihnen entwickelt gewesen sind: wodurch wir in den Stand gesetzt werden, das Verhältnis des griechischen Künstlers zu seinen Urbildern oder, nach dem aristotelischen Ausdrucke, „die Nachahmung der Natur" tiefer zu verstehn und zu würdigen. Von den Träumen der Griechen ist trotz aller Traumliteratur derselben und zahlreichen Traumanekdoten nur vermutungsweise, aber doch mit ziemlicher Sicherheit zu sprechen:

Bei der unglaublich bestimmten und sicheren plastischen Befähigung ihres Auges, samt ihrer hellen und aufrichtigen Farbenlust, wird man sich nicht entbrechen können, zur Beschämung aller Spätergeborenen, auch für ihre Träume eine logische Kausalität der Linien und Umrisse, Farben und Gruppen eine ihren besten Reliefs ähnelnde Folge der Szenen vorauszusetzen, deren Vollkommenheit uns, wenn eine Vergleichung möglich wäre, gewiß berechtigen würde, die träumenden Griechen als Homere und Homer als einen träumenden Griechen zu bezeichnen: in einem tieferen Sinne, als wenn der moderne Mensch sich hinsichtlich seines Traumes mit Shakespeare zu vergleichen wagt.

Dagegen brauchen wir nicht nur vermutungsweise zu sprechen, wenn die ungeheure Kluft aufgedeckt werden soll, welche die dionysischen Griechen von den dionysischen Barbaren trennt. Aus allen Enden der alten Welt – um die neuere hier beiseite zu lassen –, von Rom bis Babylon können wir die Existenz dionysischer Feste nachweisen, deren Typus sich, bestenfalls, zu dem Typus der griechischen verhält wie der bärtige Satyr, dem der Bock Namen und Attribute verlieh, zu Dionysus selbst. Fast überall lag das Zentrum dieser Feste in einer überschwenglichen geschlechtlichen Zuchtlosigkeit, deren Wellen über jedes Familientum und dessen ehrwürdige Satzungen hinwegfluteten; gerade die wildesten Bestien der Natur wurden hier entfesselt, bis zu jener abscheulichen Mischung von Wollust und Grausamkeit, die mir immer als der eigentliche „Hexentrank" erschienen ist. Gegen die fieberhaften Regungen jener Feste, deren Kenntnis auf allen Land- und Seewegen zu den Griechen drang, waren sie, scheint es, eine Zeitlang völlig gesichert und geschützt durch die hier in seinem ganzen Stolz sich aufrichtende Gestalt des Apollo, der das Medusenhaupt keiner gefährlicheren Macht entgegenhalten konnte als dieser fratzenhaft ungeschlachten dionysischen. Es ist die *dorische* Kunst, in der sich jene majestätisch ablehnende Haltung des Apollo verewigt hat. Bedenklicher und sogar unmöglich wurde dieser Widerstand, als endlich aus der tiefsten Wurzel des Hellenischen heraus sich ähnliche Triebe Bahn brachen: Jetzt beschränkte sich das Wirken des delphischen Gottes darauf, dem gewaltigen Gegner durch eine zur rechten Zeit abgeschlossene Versöhnung die vernichtenden Waffen aus der Hand zu nehmen. Diese Versöhnung ist der wichtigste Moment in der Geschichte des griechischen Kultus: Wohin man blickt, sind die Umwälzungen dieses Ereignisses sichtbar. Es war die Versöhnung zweier Gegner, mit scharfer Bestimmung ihrer von jetzt ab einzuhaltenden Grenzlinien und mit periodischer Übersendung von Ehrengeschenken; *im Grunde* war die Kluft nicht überbrückt. Sehen wir aber, wie sich unter dem Drucke jenes Friedensschlusses die dionysische Macht offenbarte, so erkennen wir jetzt, im Vergleiche mit jenen babylonischen Sakäen und ihrem Rückschritte des Menschen zum Tiger und Affen, in den dionysischen Orgien der Griechen die Bedeutung von Welterlösungsfesten und Verklärungstagen. Erst bei ihnen erreicht die Natur ihren künstlerischen Jubel, erst bei ihnen wird die Zerreißung des *Principii individuationis* ein künstlerisches Phänomen. Jener scheußliche Hexentrank aus Wollust und Grausamkeit war hier ohne Kraft: Nur die wundersame Mischung und Doppelheit in den Affekten der dionysischen Schwärmer erinnert an ihn – wie Heilmittel an tödliche Gifte erinnern –, jene Erscheinung, daß Schmerzen Lust erwecken, daß der Jubel der Brust qualvolle Töne entreißt. Aus der höchsten Freude tönt der Schrei des Entsetzens oder der sehnende Klagelaut über einen unersetzlichen Verlust. In jenen griechischen Festen bricht gleichsam ein sentimentalischer Zug der Natur hervor, als ob sie über ihre Zerstückelung in Individuen zu seufzen habe. Der Gesang und die Gebärdensprache solcher zwiefach gestimmter Schwärmer war für die homerisch-griechische

Welt etwas Neues und Unerhörtes: und insbesondere erregte ihr die dionysische Musik Schrecken und Grausen. Wenn die Musik scheinbar bereits als eine apollinische Kunst bekannt war, so war sie dies doch nur, genaugenommen, als Wellenschlag des Rhythmus, dessen bildnerische Kraft zur Darstellung apollinischer Zustände entwickelt wurde. Die Musik des Apollo war dorische Architektonik in Tönen, aber in nur angedeuteten Tönen, wie sie der Kithara zu eigen sind. Behutsam ist gerade das Element, als unapollinisch, ferngehalten, das den Charakter der dionysischen Musik und damit der Musik überhaupt ausmacht, die erschütternde Gewalt des Tones, der einheitliche Strom des Melos und die durchaus unvergleichliche Welt der Harmonie. Im dionysischen Dithyrambus wird der Mensch zur höchsten Steigerung aller seiner symbolischen Fähigkeiten gereizt; etwas nie Empfundenes drängt sich zur Äußerung, die Vernichtung des Schleiers der Maja, das Einssein als Genius der Gattung, ja der Natur. Jetzt soll sich das Wesen der Natur symbolisch ausdrücken; eine neue Welt der Symbole ist nötig, einmal die ganze leibliche Symbolik, nicht nur die Symbolik des Mundes, des Gesichts, des Wortes, sondern die volle, alle Glieder rhythmisch bewegende Tanzgebärde. Sodann wachsen die anderen symbolischen Kräfte, die der Musik, in Rhythmik, Dynamik und Harmonie, plötzlich ungestüm. Um diese Gesamtentfesselung aller symbolischen Kräfte zu fassen, muß der Mensch bereits auf jener Höhe der Selbstentäußerung angelangt sein, die in jenen Kräften sich symbolisch aussprechen will: Der dithyrambische Dionysusdiener wird somit nur von seinesgleichen verstanden! Mit welchem Erstaunen mußte der apollinische Grieche auf ihn blicken! Mit einem Erstaunen, das um so größer war, als sich ihm das Grausen beimischte, daß ihm jenes alles doch eigentlich so fremd nicht sei, ja daß sein apollinisches Bewußtsein nur wie ein Schleier diese dionysische Welt vor ihm verdecke.

3

Um dies zu begreifen, müssen wir jenes kunstvolle Gebäude der apollinischen Kultur gleichsam Stein um Stein abtragen, bis wir die Fundamente erblicken, auf die es begründet ist. Hier gewahren wir nun zuerst die herrlichen olympischen Göttergestalten, die auf den Giebeln dieses Gebäudes stehen und deren Taten, in weithin leuchtenden Reliefs dargestellt, seine Friese zieren. Wenn unter ihnen auch Apollo steht, als eine einzelne Gottheit neben anderen und ohne den Anspruch einer ersten Stellung, so dürfen wir uns dadurch nicht beirren lassen. Derselbe Trieb, der sich in Apollo versinnlichte, hat überhaupt jene ganze olympische Welt geboren, und in diesem Sinne darf uns Apollo als Vater derselben gelten. Welches war das ungeheure Bedürfnis, aus dem eine so leuchtende Gesellschaft olympischer Wesen entsprang?

Wer, mit einer anderen Religion im Herzen, an diese Olympier herantritt und nun nach sittlicher Höhe, ja Heiligkeit, nach unleiblicher Vergeistigung, nach erbarmungsvollen Liebesblicken bei ihnen sucht, der wird unmutig und enttäuscht ihnen bald den Rücken kehren müssen. Hier erinnert nichts an Askese, Geistigkeit und Pflicht: Hier redet nur ein üppiges, ja triumphierendes Dasein zu uns, in dem alles Vorhandene vergöttlicht ist, gleichviel ob es gut oder böse ist. Und so mag der Beschauer recht betroffen vor diesem phantastischen Überschwang des Lebens stehn, um sich zu fragen, mit welchem Zaubertrank im Leibe diese übermütigen Menschen das Leben genossen haben mögen, daß, wohin sie sehen, Helena, das „in süßer Sinnlichkeit schwebende" Idealbild ihrer *eignen* Existenz, ihnen entgegenlacht. Diesem bereits rückwärts gewandten Beschauer müssen wir aber zurufen: „Geh nicht von dannen, sondern höre erst, was die griechische Volksweisheit von diesem selben Leben aussagt, das sich hier mit so unerklärlicher Heiterkeit vor dir ausbreitet. Es geht die alte Sage, daß

König Midas lange Zeit nach dem weisen Silen, dem Begleiter des Dionysus, im Walde gejagt habe, ohne ihn zu fangen. Als er ihm endlich in die Hände gefallen ist, fragt der König, was für den Menschen das allerbeste und allervorzüglichste sei. Starr und unbeweglich schweigt der Dämon; bis er, durch den König gezwungen, endlich unter gellem Lachen in diese Worte ausbricht: ‚Elendes Eintagsgeschlecht, des Zufalls Kinder und der Mühsal, was zwingst du mich, dir zu sagen, was nicht zu hören für dich das ersprießlichste ist? Das Allerbeste ist für dich gänzlich unerreichbar: nicht geboren zu sein, nicht zu sein, nichts zu sein. Das Zweitbeste aber ist für dich – bald zu sterben.'"

Wie verhält sich zu dieser Volksweisheit die olympische Götterwelt? Wie die entzückungsreiche Vision des gefolterten Märtyrers zu seinen Peinigungen.

Jetzt öffnet sich uns gleichsam der olympische Zauberberg und zeigt uns seine Wurzeln. Der Grieche kannte und empfand die Schrecken und Entsetzlichkeiten des Daseins: Um überhaupt leben zu können, mußte er vor sie hin die glänzende Traumgeburt der Olympischen stellen. Jenes ungeheure Mißtrauen gegen die titanischen Mächte der Natur, jene über allen Erkenntnissen erbarmungslos thronende Moira, jener Geier des großen Menschenfreundes Prometheus, jenes Schreckenslos des weisen Ödipus, jener Geschlechtsfluch der Atriden, der Orest zum Muttermorde zwingt, kurz jene ganze Philosophie des Waldgottes, samt ihren mythischen Exempeln, an der die schwermütigen Etrurier zugrunde gegangen sind – wurde von den Griechen durch jene künstlerische Mittelwelt der Olympier fortwährend von neuem überwunden, jedenfalls verhüllt und dem Anblick entzogen. Um leben zu können, mußten die Griechen diese Götter, aus tiefster Nötigung, schaffen: welchen Hergang wir uns wohl so vorzustellen haben, daß aus der ursprünglichen titanischen Götterordnung des Schreckens durch jenen apollinischen Schönheitstrieb in langsamen Übergängen die olympische Götterordnung der Freude entwickelt wurde: wie Rosen aus dornigem Gebüsch hervorbrechen. Wie anders hätte jenes so reizbar empfindende, so ungestüm begehrende, zum Leiden so einzig befähigte Volk das Dasein ertragen können, wenn ihm nicht dasselbe, von einer höheren Glorie umflossen, in seinen Göttern gezeigt worden wäre. Derselbe Trieb, der die Kunst ins Leben ruft, als die zum Weiterleben verführende Ergänzung und Vollendung des Daseins, ließ auch die olympische Welt entstehn, in der sich der hellenische „Wille" einen verklärenden Spiegel vorhielt. So rechtfertigen die Götter das Menschenleben, indem sie es selbst leben – die allein genügende Theodizee (Gottesrechtfertigung)! Das Dasein unter dem hellen Sonnenscheine solcher Götter wird als das an sich Erstrebenswerte empfunden, und der eigentliche Schmerz der homerischen Menschen bezieht sich auf das Abscheiden aus ihm, vor allem auf das baldige Abscheiden: so daß man jetzt von ihnen, mit Umkehrung der silenischen Weisheit, sagen könnte, „das Allerschlimmste sei für sie, bald zu sterben, das Zweitschlimmste, überhaupt einmal zu sterben". Wenn die Klage einmal ertönt, so klingt sie wider vom kurzlebenden Achilles, von dem blättergleichen Wechsel und Wandel des Menschengeschlechts, von dem Untergang der Heroenzeit. Es ist des größten Helden nicht unwürdig, sich nach dem Weiterleben zu sehnen, sei es selbst als Tagelöhner. So ungestüm verlangt, auf der apollinischen Stufe, der „Wille" nach diesem Dasein, so eins fühlt sich der homerische Mensch mit ihm, daß selbst die Klage zu seinem Preisliede wird.

Hier muß nun ausgesprochen werden, daß diese von den neueren Menschen so sehnsüchtig angeschaute Harmonie, ja Einheit des Menschen mit der Natur, für die Schiller das Kunstwort „naiv" in Geltung gebracht hat, keinesfalls ein so einfacher, sich von selbst ergebender, gleichsam unvermeidlicher Zustand ist, dem wir an der Pforte jeder Kul-

tur, als einem Paradies der Menschheit, begegnen müßten: Dies konnte nur eine Zeit glauben, die den *Émile*
Rousseaus sich auch als Künstler zu denken suchte und in
Homer einen solchen am Herzen der Natur erzogenen
Künstler *Émile* gefunden zu haben wähnte. Wo uns das
„Naive" in der Kunst begegnet, haben wir die höchste
Wirkung der apollinischen Kultur zu erkennen: welche
immer erst ein Titanenreich zu stürzen und Ungetüme zu
töten hat und durch kräftige Wahnvorspiegelungen und
lustvolle Illusionen über eine schreckliche Tiefe der Weltbetrachtung und reizbarste Leidensfähigkeit Sieger geworden sein muß. Aber wie selten wird das Naive, jenes völlige
Verschlungensein in der *Schönheit des Scheines*, erreicht!
Wie unaussprechbar erhaben ist deshalb Homer, der sich,
als einzelner, zu jener apollinischen Volkskultur verhält
wie der einzelne Traumkünstler zur Traumbefähigung des
Volks und der Natur überhaupt. Die homerische „Naivität" ist nur als der vollkommene Sieg der apollinischen
Illusion zu begreifen: Es ist dies eine solche Illusion, wie
sie die Natur zur Erreichung ihrer Absichten so häufig verwendet. Das wahre Ziel wird durch ein Wahnbild ver-
deckt: Nach diesem strecken wir die Hände aus, und jenes
erreicht die Natur durch unsre Täuschung. In den Griechen
wollte der „Wille" sich selbst – in der Verklärung des Genius und der Kunstwelt – anschauen; um sich zu verherr-
lichen, mußten seine Geschöpfe sich selbst als verherr-
lichenswert empfinden, sie mußten sich in einer höheren
Sphäre wiedersehn, ohne daß diese vollendete Welt der
Anschauung als Imperativ oder als Vorwurf wirkte. Dies
ist die Sphäre der Schönheit, in der sie ihre Spiegelbilder,
die Olympischen, sahen. Mit dieser Schönheitsspiegelung
kämpfte der hellenische „Wille" gegen das dem künstlerischen korrelative Talent zum Leiden und zur Weisheit des
Leidens: und als Denkmal seines Sieges steht Homer **vor**
uns, der naive Künstler.

4

Über diesen naiven Künstler gibt uns die Traumanalogie einige Belehrung. Wenn wir uns den Träumenden vergegenwärtigen, wie er, mitten in der Illusion der Traumwelt, und ohne sie zu stören, sich zuruft: „Es ist ein Traum, ich will ihn weiterträumen", wenn wir hieraus auf eine tiefe innere Lust des Traumanschauens zu schließen haben, wenn wir andererseits, um überhaupt mit dieser inneren Lust am Schauen träumen zu können, den Tag und seine schreckliche Zudringlichkeit völlig vergessen haben müssen: so dürfen wir uns alle diese Erscheinungen etwa in folgender Weise, unter der Leitung des traumdeutenden Apollo, interpretieren. So gewiß von den beiden Hälften des Lebens, der wachen und der träumenden Hälfte, uns die erstere als die ungleich bevorzugtere, wichtigere, würdigere, lebenswertere, ja allein gelebte dünkt: so möchte ich doch, bei allem Anscheine einer Paradoxie, für jenen geheimnisvollen Grund unseres Wesens, dessen Erscheinung wir sind, gerade die entgegengesetzte Wertschätzung des Traumes behaupten. Je mehr ich nämlich in der Natur jene allgewaltigen Kunsttriebe und in ihnen eine inbrünstige Sehnsucht zum Schein, zum Erlöstwerden durch den Schein gewahr werde, um so mehr fühle ich mich zu der metaphysischen Annahme gedrängt, daß das wahrhaft Seiende und Ureine als das ewig Leidende und Widerspruchsvolle, zugleich die entzückende Vision, den lustvollen Schein, zu seiner steten Erlösung braucht: welchen Schein wir, völlig in ihm befangen und aus ihm bestehend, als das wahrhaft Nichtseiende, das heißt als ein fortwährendes Werden in Zeit, Raum und Kausalität, mit anderen Worten: als empirische Realität zu empfinden genötigt sind. Sehen wir also einmal vor unsrer eignen „Realität" für einen Augenblick ab, fassen wir unser empirisches Dasein, wie das der Welt überhaupt, als eine in jedem Moment erzeugte Vorstellung des Ureinen, so muß uns jetzt der Traum als der Schein des Scheins, somit als eine noch höhere Befriedigung der Urbegierde nach dem Schein hin gelten. Aus diesem selben Grunde hat der innerste Kern der Natur jene unbeschreibliche Lust an dem naiven Künstler und dem naiven Kunstwerke, das gleichfalls nur „Schein des Scheins" ist. Raffael, selbst einer jener unsterblichen „Naiven", hat uns in einem gleichnisartigen Gemälde jenes Depotenzieren des Scheins zum Schein, den Urprozeß des naiven Künstlers und zugleich der apollinischen Kultur, dargestellt. In seiner Transfiguration zeigt uns die untere Hälfte, mit dem besessenen Knaben, den verzweifelnden Trägern, den ratlos geängstigten Jüngern, die Widerspiegelung des ewigen Urschmerzes, des einzigen Grundes der Welt: Der „Schein" ist hier Widerschein des ewigen Widerspruchs, des Vaters der Dinge. Aus diesem Schein steigt nun, wie ein ambrosischer Duft, eine visionsgleiche *neue* Scheinwelt empor, von der jene im ersten Schein Befangenen nichts sehen — ein leuchtendes Schweben in reinster Wonne und schmerzlosem, aus weiten Augen strahlendem Anschauen. Hier haben wir, in höchster Kunstsymbolik, jene apollinische Schönheitswelt und ihren Untergrund, die schreckliche Weisheit des Silen, vor unseren Blicken und begreifen durch Intuition ihre gegenseitige Notwendigkeit. Apollo aber tritt uns wiederum als die Vergöttlichung des *Principii individuationis* entgegen, in dem allein das ewig erreichte Ziel des Ureinen, seine Erlösung durch den Schein, sich vollzieht: Er zeigt uns, mit erhabenen Gebärden, wie die ganze Welt der Qual nötig ist, damit durch sie der einzelne zur Erzeugung der erlösenden Vision gedrängt werde und dann, ins Anschauen derselben versunken, ruhig auf seinem schwankenden Kahne, inmitten des Meeres, sitze.

Diese Vergöttlichung der Individuation kennt, wenn sie überhaupt imperativisch und Vorschriften gebend gedacht wird, nur *ein* Gesetz, das Individuum, das heißt die Ein-

haltung der Grenzen des Individuums, das Maß im hellenischen Sinne. Apollo, als ethische Gottheit, fordert von
den Seinigen das Maß und, um es einhalten zu können,
Selbsterkenntnis. Und so läuft neben der ästhetischen Notwendigkeit der Schönheit die Forderung des „Erkenne dich
selbst!" und des „Nicht zuviel!" her, während Selbstüber-
hebung und Übermaß als die eigentlich feindseligen Dämonen der *nicht*apollinischen Sphäre, daher als Eigenschaften der *vor*apollinischen Zeit, des Titanenzeitalters,
und der *außer*apollinischen Welt, das heißt der Barbaren-
welt, erachtet wurden. Wegen seiner titanenhaften Liebe
zu den Menschen mußte Prometheus von den Geiern zerrissen werden, seiner übermäßigen Weisheit halber, die das
Rätsel der Sphinx löste, mußte Ödipus in einen verwirren-
den Strudel von Untaten stürzen: So interpretierte der
delphische Gott die griechische Vergangenheit.

„Titanenhaft" und „barbarisch" dünkte dem apollinischen Griechen auch die Wirkung, die das Dionysische
erregte: ohne dabei sich verhehlen zu können, daß er selbst
doch zugleich auch innerlich mit jenen gestürzten Titanen
und Heroen verwandt sei. Ja er mußte noch mehr empfinden: Sein ganzes Dasein, mit aller Schönheit und Mäßigung, ruhte auf einem verhüllten Untergrunde des Leidens
und der Erkenntnis, der ihm wieder durch jenes Dionysische aufgedeckt wurde. Und siehe! Apollo konnte nicht
ohne Dionysus leben! Das „Titanische" und das „Barba-
rische" war zuletzt eine ebensolche Notwendigkeit wie das
Apollinische! Und nun denken wir uns, wie in diese auf
den Schein und die Mäßigung gebaute und künstlich ge-
dämmte Welt der ekstatische Ton der Dionysusfeier in
immer lockenderen Zauberweisen hineinklang, wie in diesen das ganze Übermaß der Natur in Lust, Leid und Erkenntnis, bis zum durchdringenden Schrei, laut wurde:
Denken wir uns, was diesem dämonischen Volksgesange
gegenüber der psalmodierende Künstler des Apollo, mit

dem gespensterhaften Harfenklange, bedeuten konnte! Die Musen der Künste des „Scheins" verblaßten vor einer Kunst, die in ihrem Rausche die Wahrheit sprach, die Weisheit des Silen rief Wehe! Wehe! aus gegen die heiteren Olympier. Das Individuum, mit allen seinen Grenzen und Maßen, ging hier in der Selbstvergessenheit der dionysischen Zustände unter und vergaß die apollinischen Satzungen. Das Übermaß enthüllte sich als Wahrheit, der Widerspruch, die aus Schmerzen geborene Wonne sprach von sich aus dem Herzen der Natur heraus. Und so war überall dort, wo das Dionysische durchdrang, das Apollinische aufgehoben und vernichtet. Aber ebenso gewiß ist, daß dort, wo der erste Ansturm ausgehalten wurde, das Ansehen und die Majestät des delphischen Gottes starrer und drohender als je sich äußerte. Ich vermag nämlich den dorischen Staat und die dorische Kunst mir nur als ein fortgesetztes Kriegslager des Apollinischen zu erklären: Nur in einem unausgesetzten Widerstreben gegen das titanisch-barbarische Wesen des Dionysischen konnte eine so trotzig-spröde, mit Bollwerken umschlossene Kunst, eine so kriegsgemäße und herbe Erziehung, ein so grausames und rücksichtsloses Staatswesen von längerer Dauer sein.

Bis zu diesem Punkte ist des weiteren ausgeführt worden, was ich am Eingange dieser Abhandlung bemerkte: wie das Dionysische und das Apollinische, in immer neuen aufeinanderfolgenden Geburten und sich gegenseitig steigernd, das hellenische Wesen beherrscht haben: wie aus dem „erzenen" Zeitalter, mit seinen Titanenkämpfen und seiner herben Volksphilosophie, sich unter dem Walten des apollinischen Schönheitstriebes die homerische Welt entwickelt, wie diese „naive" Herrlichkeit wieder von dem einbrechenden Strome des Dionysischen verschlungen wird und wie dieser neuen Macht gegenüber sich das Apollinische zur starren Majestät der dorischen Kunst und Weltbetrachtung erhebt. Wenn auf diese Weise die ältere hellenische Geschichte, im Kampf jener zwei feindseligen Prinzipien, in vier große Kunststufen zerfällt: so sind wir jetzt gedrängt, weiter nach dem letzten Plane dieses Werdens und Treibens zu fragen, falls uns nicht etwa die letzterreichte Periode, die der dorischen Kunst, als die Spitze und Absicht jener Kunsttriebe gelten sollte: Und hier bietet sich unseren Blicken das erhabene und hochgepriesene Kunstwerk der **attischen Tragödie** und des dramatischen Dithyrambus, als das gemeinsame Ziel beider Triebe, deren geheimnisvolles Ehebündnis, nach langem vorhergehendem Kampfe, sich in einem solchen Kinde – das zugleich Antigone und Kassandra ist – verherrlicht hat.

5

Wir nahen uns jetzt dem eigentlichen Ziele unsrer Untersuchung, die auf die Erkenntnis des dionysisch-apollinischen Genius und seines Kunstwerkes, wenigstens auf das ahnungsvolle Verständnis jenes Einheitsmysteriums gerichtet ist. Hier fragen wir nun zunächst, wo jener neue Keim sich zuerst in der hellenischen Welt bemerkbar macht, der sich nachher bis zur Tragödie und zum dramatischen Dithyrambus entwickelt. Hierüber gibt uns das Altertum selbst bildlich Aufschluß, wenn es als die Urväter und Fackelträger der griechischen Dichtung **Homer** und **Archilochus** auf Bildwerken, Gemmen und so weiter nebeneinanderstellt, in der sicheren Empfindung, daß nur diese beiden gleich völlig originalen Naturen, von denen aus ein Feuerstrom auf die gesamte griechische Nachwelt fortfließe, zu erachten seien. Homer, der in sich versunkene greise Träumer, der Typus des apollinischen, naiven Künstlers, sieht nun staunend den leidenschaftlichen Kopf des wild durchs Dasein getriebenen kriegerischen Musendieners Archilochus: Und die neuere Ästhetik wußte nur deutend hinzuzufügen, daß

hier dem „objektiven" Künstler der erste „subjektive" ent-
gegengestellt sei. Uns ist mit dieser Deutung wenig gedient,
weil wir den subjektiven Künstler nur als schlechten Künstler kennen und in jeder Art und Höhe der Kunst vor allem
und zuerst Besiegung des Subjektiven, Erlösung vom „Ich"
und Stillschweigen jedes individuellen Willens und Ge-
lüstens fordern, ja ohne Objektivität, ohne reines interesse-
loses Anschauen nie an die geringste wahrhaft künstlerische
Erzeugung glauben können. Darum muß unsre Ästhetik
erst jenes Problem lösen, wie der „Lyriker" als Künstler
möglich ist: er, der nach der Erfahrung aller Zeiten immer
„Ich" sagt und die ganze chromatische Tonleiter seiner
Leidenschaften und Begehrungen vor uns absingt. Gerade
dieser Archilochus erschreckt uns, neben Homer, durch den
Schrei seines Hasses und Hohnes, durch die trunknen Aus-
brüche seiner Begierde; ist er, der erste subjektiv genannte
Künstler, nicht damit der eigentliche *Nichtkünstler?* Woher
aber dann die Verehrung, die ihm, dem Dichter, gerade auch
das delphische Orakel, der Herd der „objektiven" Kunst,
in sehr merkwürdigen Aussprüchen erwiesen hat?

Über den Prozeß seines Dichtens hat uns Schiller
durch eine ihm selbst unerklärliche, doch nicht bedenklich
scheinende psychologische Beobachtung Licht gebracht; er
gesteht nämlich, als den vorbereitenden Zustand vor dem
Actus des Dichtens nicht etwa eine Reihe von Bildern, mit
geordneter Kausalität der Gedanken, vor sich und in sich
gehabt zu haben, sondern vielmehr eine musikalische
Stimmung. („Die Empfindung ist bei mir anfangs ohne
bestimmten und klaren Gegenstand; dieser bildet sich erst
später. Eine gewisse musikalische Gemütsstimmung geht
vorher, und auf diese folgt bei mir erst die poetische Idee.")
Nehmen wir jetzt das wichtigste Phänomen der ganzen antiken Lyrik hinzu, die überall als natürlich geltende Vereinigung, ja Identität des Lyrikers mit dem Musiker
– der gegenüber unsre neuere Lyrik wie ein Götterbild ohne

Kopf erscheint –, so können wir jetzt, auf Grund unsrer früher dargestellten ästhetischen Metaphysik, uns in folgender Weise den Lyriker erklären. Er ist zuerst, als dionysischer Künstler, gänzlich mit dem *Ur*einen, seinem Schmerz und Widerspruch, eins geworden und produziert das Abbild dieses *Ur*einen als Musik, wenn anders diese mit Recht eine Wiederholung der Welt und ein zweiter Abguß derselben genannt worden ist; jetzt aber wird diese Musik ihm wieder, wie in einem g l e i c h n i s a r t i g e n T r a u m b i l d e, unter der apollinischen Traumeinwirkung sichtbar. Jener bild- und begrifflose Widerschein des Urschmerzes in der Musik, mit seiner *Erlösung im Scheine,* erzeugt jetzt eine zweite Spiegelung, als einzelnes Gleichnis oder Exempel. Seine Subjektivität hat der Künstler bereits in dem dionysischen Prozeß aufgegeben: Das Bild, das ihm jetzt seine Einheit mit dem Herzen der Welt zeigt, ist eine Traumszene, die jenen Urwiderspruch und Urschmerz, samt der Urlust des Scheines, versinnlicht. Das „Ich" des Lyrikers tönt also aus dem Abgrunde des Seins: Seine „Subjektivität" im Sinne der neueren Ästhetiker ist eine Einbildung. Wenn Archilochus, der erste Lyriker der Griechen, seine rasende Liebe und zugleich seine Verachtung den Töchtern des Lykambes kundgibt, so ist es nicht seine Leidenschaft, die vor uns in orgiastischem Taumel tanzt: Wir sehen Dionysus und die Mänaden, wir sehen den berauschten Schwärmer Archilochus zum Schlafe niedergesunken – wie ihn uns Euripides in den *Baccchen* beschreibt, den Schlaf auf hoher Alpentrift, in der Mittagssonne –: Und jetzt tritt Apollo an ihn heran und berührt ihn mit dem Lorbeer. Die dionysisch-musikalische Verzauberung des Schläfers sprüht jetzt gleichsam Bilderfunken um sich, lyrische Gedichte, die in ihrer höchsten Entfaltung Tragödien und dramatische Dithyramben heißen.

Der Plastiker und zugleich der ihm verwandte Epiker ist in das reine Anschauen der Bilder versunken. Der dionysische Musiker ist ohne jedes Bild völlig nur selbst Urschmerz und Urwiderklang desselben. Der lyrische Genius fühlt aus dem mystischen Selbstentäußerungs- und Einheitszustande eine Bilder- und Gleichniswelt hervorwachsen, die eine ganz andere Färbung, Kausalität und Schnelligkeit hat als jene Welt des Plastikers und Epikers. Während der Letztgenannte in diesen Bildern, und nur in ihnen, mit freudigem Behagen lebt und nicht müde wird, sie bis auf die kleinsten Züge hin liebevoll anzuschauen, während selbst das Bild des zürnenden Achilles für ihn nur ein Bild ist, dessen zürnenden Ausdruck er mit jener Traumlust am Scheine genießt — so daß er, durch diesen Spiegel des Scheines, gegen das Einswerden und Zusammenschmelzen mit seinen Gestalten geschützt ist —, so sind dagegen die Bilder des Lyrikers nichts als er selbst und gleichsam nur verschiedene Objektivationen von ihm, weshalb er als bewegender Mittelpunkt jener Welt „Ich" sagen darf: Nur ist diese Ichheit nicht dieselbe wie die des wachen, empirisch-realen Menschen, sondern die einzige überhaupt wahrhaft seiende und ewige, im Grunde der Dinge ruhende Ichheit, durch deren Abbilder der lyrische Genius bis auf jenen Grund der Dinge hindurchsieht. Nun denken wir uns einmal, wie er unter diesen Abbildern auch sich selbst als Nichtgenius erblickt, das heißt sein „Subjekt", das ganze Gewühl subjektiver, auf ein bestimmtes, ihm real dünkendes Ding gerichteter Leidenschaften und Willensregungen; wenn es jetzt scheint, als ob der lyrische Genius und der mit ihm verbundene Nichtgenius eins wäre und als ob der erstere von sich selbst jenes Wörtchen „Ich" spräche, so wird uns jetzt dieser Schein nicht mehr verführen können, wie er allerdings diejenigen verführt hat, die den Lyriker als den subjektiven Dichter bezeichnet haben. In Wahrheit ist Archilochus, der leidenschaftlich entbrannte, liebende und hassende Mensch, nur eine Vision des Genius, der bereits nicht mehr Archilochus, sondern Weltgenius ist und der seinen Urschmerz in jenem Gleichnisse vom Menschen Archilochus symbolisch ausspricht: während jener subjektiv wollende und begehrende Mensch Archilochus überhaupt nie und nimmer *Dichter* sein kann. Es ist aber gar nicht nötig, daß der Lyriker gerade nur das Phänomen des Menschen Archilochus vor sich sieht als Widerschein des ewigen Seins; und die Tragödie beweist, wie weit sich die Visionswelt des Lyrikers von jenem allerdings zunächst stehenden Phänomen entfernen kann.

Schopenhauer, der sich die Schwierigkeit, die der Lyriker für die philosophische Kunstbetrachtung macht, nicht verhehlt hat, glaubt einen Ausweg gefunden zu haben, den ich nicht mit ihm gehen kann, während ihm allein, in seiner tiefsinnigen Metaphysik der Musik, das Mittel in die Hand gegeben war, mit dem jene Schwierigkeit entscheidend beseitigt werden konnte: wie ich dies, in seinem Geiste und zu seiner Ehre, hier getan zu haben glaube. Dagegen bezeichnet er als das eigentümliche Wesen des Liedes folgendes (Welt als Wille und Vorstellung I, Seite 295): „Es ist das Subjekt des Willens, das heißt das eigene Wollen, was das Bewußtsein des Singenden füllt, oft als ein entbundenes, befriedigtes Wollen (Freude), wohl noch öfter aber als ein gehemmtes (Trauer), immer als Affekt, Leidenschaft, bewegter Gemütszustand. Neben diesem jedoch und *zugleich damit* wird durch den Anblick der umgebenden Natur der Singende sich seiner bewußt als Subjekts des reinen, willenlosen Erkennens, dessen unerschütterliche, selige Ruhe nunmehr in Kontrast tritt mit dem Drange des immer beschränkten, immer noch dürftigen Wollens: Die Empfindung dieses Kontrastes, dieses Wechselspieles ist eigentlich, was sich im Ganzen des Liedes ausspricht und was überhaupt den lyrischen Zustand ausmacht. In diesem tritt gleichsam das reine Erkennen zu uns heran, um uns vom Wollen und seinem Drange zu erlösen: Wir folgen; doch nur auf Augenblicke: Immer von neuem entreißt das Wollen, die Erinnerung an unsere persönlichen Zwecke, uns der ruhigen Beschauung; aber auch immer wieder entlockt uns dem Wollen die nächste schöne Umgebung, in welcher sich die reine willenlose Erkenntnis uns darbietet. Darum geht im Liede und der lyrischen Stimmung das Wollen (das persönliche Interesse der Zwecke) und das reine Anschauen der sich darbietenden Umgebung wundersam gemischt durcheinander: Es werden Beziehungen zwischen beiden gesucht und imaginiert; die subjektive Stimmung, die Affektion des Willens, teilt der angeschauten Umgebung und diese wiederum jener ihre Farbe im Reflex mit: Von diesem ganzen so gemischten und geteilten Gemütszustande ist das echte Lied der Abdruck."

Wer vermöchte in dieser Schilderung zu verkennen, daß hier die Lyrik als eine unvollkommen erreichte, gleichsam im Sprunge und selten zum Ziele kommende Kunst charakterisiert wird, ja als eine *Halbkunst*, deren Wesen darin bestehen solle, daß das Wollen und das reine Anschauen, das heißt der unästhetische und der ästhetische Zustand, wundersam durcheinandergemischt seien? Wir behaupten vielmehr, daß der ganze Gegensatz, nach dem wie nach einem Wertmesser auch noch Schopenhauer die Künste einteilt, der des Subjektiven und des Objektiven, überhaupt in der Ästhetik ungehörig ist, da das Subjekt, das wollende und seine egoistischen Zwecke fördernde Individuum, nur als *Gegner*, nicht als Ursprung der Kunst gedacht werden kann. Insofern aber das Subjekt Künstler ist, ist es bereits von seinem individuellen Willen erlöst und gleichsam Medium geworden, durch das hindurch das eine wahrhaft seiende Subjekt seine Erlösung im Scheine feiert. Denn dies muß uns vor allem, zu unserer Erniedrigung und Erhöhung, deutlich sein, daß die ganze Kunstkomödie durchaus nicht *für uns*, etwa unsrer Besserung und Bildung wegen, aufgeführt wird, ja daß wir ebensowenig die eigentlichen Schöpfer jener Kunstwelt sind: Wohl aber dürfen wir von uns selbst annehmen, daß wir für den wahren Schöpfer derselben schon Bilder und künstlerische Projektionen sind und in der Bedeutung von Kunstwerken unsre höchste Würde haben – denn nur als ästhetisches Phänomen ist das Dasein und die Welt ewig gerechtfertigt –, während freilich unser Bewußtsein über diese unsre Bedeutung kaum ein andres ist, als es die auf Leinwand gemalten Krieger von der auf ihr dargestellten Schlacht haben. Somit ist unser ganzes Kunstwissen im Grunde ein völlig illusorisches, weil wir als Wissende mit jenem Wesen nicht eins und identisch sind, das sich, als einziger Schöpfer und Zuschauer jener Kunstkomödie, einen ewigen Genuß bereitet. Nur soweit der Genius im *Actus* der künstlerischen Zeugung mit jenem Urkünstler der Welt verschmilzt, *weiß* er etwas über das ewige Wesen der Kunst; denn in jenem Zustande ist er, wunderbarerweise, dem unheimlichen Bild des Märchens gleich, das die Augen drehn und sich selber anschaun kann; jetzt ist er zugleich Subjekt und Objekt, zugleich Dichter, Schauspieler und Zuschauer.

6

In betreff des Archilochus hat die gelehrte Forschung entdeckt, daß er das Volkslied in die Literatur eingeführt habe und daß ihm dieser Tat halber jene einzige Stellung neben Homer in der allgemeinen Schätzung der Griechen zukomme. Was aber ist das Volkslied im Gegensatz zu dem völlig apollinischen Epos? Was anders als das *Perpetuum vestigium* einer Vereinigung des Apollinischen und des Dionysischen; seine ungeheure, über alle Völker sich erstreckende und in immer neuen Geburten sich steigernde Verbreitung ist uns ein Zeugnis dafür, wie stark jener künstlerische Doppeltrieb der Natur ist: der in analoger Weise seine Spuren im Volkslied hinterläßt, wie die orgiastischen Bewegungen eines Volkes sich in seiner Musik verewigen. Ja es müßte auch historisch nachweisbar sein, wie jede an Volksliedern reich produktive Periode zugleich auf das stärkste durch dionysische Strömungen erregt worden ist, welche wir immer als Untergrund und Voraussetzung des Volksliedes zu betrachten haben.

Das Volkslied aber gilt uns zuallernächst als musikalischer Weltspiegel, als ursprüngliche Melodie, die sich jetzt eine parallele Traumerscheinung sucht und diese in der Dichtung ausspricht. Die Melodie ist also das Erste und Allgemeine, das deshalb auch mehrere Objektivationen, in mehreren Texten, an sich erleiden kann. Sie ist auch das bei weitem Wichtigere und Notwendigere in der naiven Schätzung des Volkes. Die Melodie gebiert die Dichtung aus sich, und zwar immer wieder von neuem; nichts anderes will uns die Strophenform des Volksliedes sagen: welches Phänomen ich immer mit Erstaunen betrachtet habe, bis ich endlich diese Erklärung fand. Wer eine Sammlung von Volksliedern, zum Beispiel des *Knaben Wunderhorn,* auf diese Theorie hin ansieht, der wird unzählige Beispiele finden, wie die fortwährend gebärende Melodie Bilderfunken um sich aussprüht: die in ihrer Buntheit, ihrem jähen Wechsel, ja ihrem tollen Sichüberstürzen eine dem epischen Scheine und seinem ruhigen Fortströmen wildfremde Kraft offenbaren. Vom Standpunkte des Epos ist diese ungleiche und unregelmäßige Bilderwelt der Lyrik einfach zu verurteilen: Und dies haben gewiß die feierlichen epischen Rhapsoden der apollinischen Feste im Zeitalter des Terpander getan.

In der Dichtung des Volksliedes sehen wir also die Sprache auf das stärkste angespannt, die Musik nachzuahmen: Deshalb beginnt mit Archilochus eine neue Welt der Poesie, die der homerischen in ihrem tiefsten Grunde widerspricht. Hiermit haben wir das einzig mögliche Verhältnis zwischen Poesie und Musik, Wort und Ton bezeichnet: Das Wort, das Bild, der Begriff sucht einen der

Musik analogen Ausdruck und erleidet jetzt die Gewalt der
Musik an sich. In diesem Sinne dürfen wir in der Sprach-
geschichte des griechischen Volkes *zwei Hauptströmungen*
unterscheiden, je nachdem die Sprache die *Erscheinungs-*
und *Bilderwelt* oder die *Musikwelt* nachahmte. Man denke
nur einmal tiefer über die sprachliche Differenz der Farbe,
des syntaktischen Baus, des Wortmaterials bei Homer und
Pindar nach, um die Bedeutung dieses Gegensatzes zu begreifen; ja es wird einem dabei handgreiflich deutlich, daß
zwischen Homer und Pindar die o r g i a s t i s c h e n F l ö t e n -
w e i s e n d e s O l y m p u s erklungen sein müssen, die noch
im Zeitalter des Aristoteles, inmitten einer unendlich ent-
wickelteren Musik, zu trunkner Begeisterung hinrissen und
gewiß in ihrer ursprünglichen Wirkung alle dichterischen
Ausdrucksmittel der gleichzeitigen Menschen zur Nachahmung aufgereizt haben. Ich erinnere hier an ein bekann-
tes, unserer Ästhetik nur anstößig dünkendes Phänomen
unserer Tage. Wir erleben es immer wieder, wie eine Beethovensche Symphonie die einzelnen Zuhörer zu einer Bilderrede nötigt, sei es auch, daß eine Zusammenstellung der
verschiedenen, durch ein Tonstück erzeugten Bilderwelten
sich recht phantastisch bunt, ja widersprechend ausnimmt:
An solchen Zusammenstellungen ihren armen Witz zu üben
und das doch wahrlich erklärenswerte Phänomen zu über-
sehen ist recht in der Art jener Ästhetik. Ja selbst wenn der
Tondichter in Bildern über eine Komposition geredet hat,
etwa wenn er eine Symphonie als *Pastorale* und einen Satz
als „Szene am Bach", einen anderen als „Lustiges Zusam-
mensein der Landleute" bezeichnet, so sind das ebenfalls
nur gleichnisartige, aus der Musik geborne Vorstellungen
– und nicht etwa die nachgeahmten Gegenstände der Musik –, Vorstellungen, die über den dionysischen Inhalt der
Musik uns nach keiner Seite hin belehren können, ja die
keinen ausschließlichen Wert neben anderen Bildern haben.
Diesen Prozeß einer Entladung der Musik in Bildern haben

wir uns nun auf eine jugendfrische, sprachlich schöpferische Volksmenge zu übertragen, um zur Ahnung zu kommen, wie das strophische Volkslied entsteht und wie das ganze Sprachvermögen durch das neue Prinzip der Nachahmung der Musik aufgeregt wird.

Dürfen wir also die lyrische Dichtung als die nachahmende *Effulguration* der Musik in Bildern und Begriffen betrachten, so können wir jetzt fragen: „Als was e r s c h e i n t die Musik im Spiegel der Bildlichkeit und der Begriffe?" Sie e r s c h e i n t a l s W i l l e, das Wort im Schopenhauerischen Sinne genommen, das heißt als Gegensatz der ästhetischen, rein beschaulichen willenlosen Stimmung. Hier unterscheide man nun so scharf als möglich den Begriff *des Wesens* von dem *der Erscheinung:* Denn die Musik kann, ihrem Wesen nach, unmöglich Wille sein, weil sie als solcher gänzlich aus dem Bereich der Kunst zu bannen wäre – denn der Wille ist das an sich Unästhetische –; aber sie *erscheint* als Wille. Denn um ihre Erscheinung in Bildern auszudrücken, braucht der Lyriker alle Regungen der Leidenschaft, vom Flüstern der Neigung bis zum Grollen des Wahnsinns; unter dem Triebe, in apollinischen Gleichnissen von der Musik zu reden, versteht er die ganze Natur und sich in ihr nur als das ewig Wollende, Begehrende, Sehnende. Insofern er aber die Musik in Bildern deutet, ruht er selbst in der stillen Meeresruhe der apollinischen Betrachtung, sosehr auch alles, was er durch das Medium der Musik anschaut, um ihn herum in drängender und treibender Bewegung ist. Ja wenn er sich selbst durch dasselbe Medium erblickt, so zeigt sich ihm sein eignes Bild im Zustande des unbefriedigten Gefühls: Sein eignes Wollen, Sehnen, Stöhnen, Jauchzen ist ihm ein *Gleichnis*, mit dem er die Musik sich deutet. Dies ist das Phänomen des Lyrikers: Als apollinischer Genius interpretiert er die Musik durch das Bild des Willens, während er selbst, völlig losgelöst von der Gier des Willens, reines ungetrübtes Sonnenauge ist.

Diese ganze Erörterung hält daran fest, daß die Lyrik ebenso abhängig ist vom Geiste der Musik, als die Musik selbst, in ihrer völligen Unumschränktheit, das Bild und den Begriff nicht braucht, sondern ihn nur neben sich erträgt. Die Dichtung des Lyrikers kann nichts aussagen, was nicht in der ungeheuersten Allgemeinheit und Allgültigkeit bereits in der Musik lag, die ihn zur Bilderrede nötigte. Der Weltsymbolik der Musik ist ebendeshalb mit der Sprache auf keine Weise erschöpfend beizukommen, weil sie sich auf den Urwiderspruch und Urschmerz im Herzen des *Ur*einen symbolisch bezieht, somit eine Sphäre symbolisiert, die *über* alle Erscheinung und *vor* aller Erscheinung ist. Ihr gegenüber ist vielmehr jede Erscheinung nur Gleichnis: Daher kann die Sprache, als Organ und Symbol der Erscheinungen, nie und nirgends das tiefste Innere der Musik nach außen kehren, sondern bleibt immer, sobald sie sich auf Nachahmung der Musik einläßt, nur in einer *äußerlichen* Berührung mit der Musik, während deren tiefster Sinn, durch alle lyrische Beredsamkeit, uns auch keinen Schritt näher gebracht werden kann.

7

Alle die bisher erörterten Kunstprinzipien müssen wir jetzt zu Hilfe nehmen, um uns in dem Labyrinth zurechtzufinden, als welches wir den Ursprung der griechischen Tragödie bezeichnen müssen. Ich denke, nichts Ungereimtes zu behaupten, wenn ich sage, daß das Problem dieses Ursprungs bis jetzt noch nicht einmal ernsthaft aufgestellt, geschweige denn gelöst ist, sooft auch die zerflatternden Fetzen der antiken Überlieferung schon kombinatorisch aneinandergenäht und wieder auseinandergerissen sind. Diese Überlieferung sagt uns mit voller Entschiedenheit, daß die Tragödie aus dem tragi-

schen Chore entstanden ist und ursprünglich nur
Chor und nichts als Chor war: woher wir die Verpflichtung nehmen, diesem tragischen Chore als dem eigentlichen
Urdrama ins Herz zu sehen, ohne uns an den geläufigen
Kunstredensarten – daß er der idealische Zuschauer sei
oder das Volk gegenüber der fürstlichen Region der Szene
zu vertreten habe – irgendwie genügen zu lassen. Jener zuletzt erwähnte, für manchen Politiker erhaben klingende
Erläuterungsgedanke – als ob das unwandelbare Sitten-
gesetz von den demokratischen Athenern in dem Volks-
chore dargestellt sei, der über die leidenschaftlichen Aus-
schreitungen und Ausschweifungen der Könige hinaus
immer recht behalte – mag noch so sehr durch ein Wort des
Aristoteles nahegelegt sein: Auf die ursprüngliche Forma-
tion der Tragödie ist er ohne Einfluß, da von jenen rein
religiösen Ursprüngen der ganze Gegensatz von Volk und
Fürst, überhaupt jegliche politisch-soziale Sphäre ausgeschlossen ist; aber wir möchten es auch in Hinsicht auf die
uns bekannte klassische Form des Chors bei Äschylus und
Sophokles für Blasphemie erachten, hier von der Ahnung
einer „konstitutionellen Volksvertretung" zu reden, vor
welcher Blasphemie andere nicht zurückgeschrocken sind.
Eine konstitutionelle Volksvertretung kennen die antiken
Staatsverfassungen in praxi nicht und haben sie hoffent-
lich auch in ihrer Tragödie nicht einmal „geahnt".

Viel berühmter als diese politische Erklärung des Chors
ist der Gedanke A. W. *Schlegels*, der uns den Chor gewissermaßen als den Inbegriff und Extrakt der Zuschauer-
menge, als den „idealischen Zuschauer", zu betrachten an-
empfiehlt. Diese Ansicht, zusammengehalten mit jener
historischen Überlieferung, daß ursprünglich die Tragödie
nur Chor war, erweist sich als das, was sie ist: als eine rohe,
unwissenschaftliche, doch glänzende Behauptung, die ihren
Glanz aber nur durch ihre konzentrierte Form des Ausdrucks, durch die echt germanische Voreingenommenheit

für alles, was „idealisch" genannt wird, und durch unser momentanes Erstauntsein erhalten hat. Wir sind nämlich erstaunt, sobald wir das uns gutbekannte Theaterpublikum mit jenem Chore vergleichen und uns fragen, ob es wohl möglich sei, aus diesem Publikum je etwas dem tragischen Chore Analoges herauszuidealisieren. Wir leugnen dies im stillen und wundern uns jetzt ebenso über die Kühnheit der Schlegelschen Behauptung wie über die total verschiedene Natur des griechischen Publikums. Wir hatten nämlich doch immer gemeint, daß der rechte Zuschauer, er sei, wer er wolle, sich immer bewußt bleiben müsse, ein Kunstwerk vor sich zu haben, nicht eine empirische Realität: während der tragische Chor der Griechen in den Gestalten der Bühne *leibhafte Existenzen* zu erkennen genötigt ist. Der Okeanidenchor glaubt, wirklich den Titan Prometheus vor sich zu sehen, und hält sich selbst für ebenso real wie den Gott der Szene. Und das sollte die höchste und reinste Art des Zuschauers sein, gleich den Okeaniden den Prometheus für leiblich vorhanden und real zu halten? Und es wäre das Zeichen des idealischen Zuschauers, auf die Bühne zu laufen und den Gott von seinen Martern zu befreien? Wir hatten an ein ästhetisches Publikum geglaubt und den einzelnen Zuschauer für um so befähigter gehalten, je mehr er imstande war, das Kunstwerk als Kunst, das heißt ästhetisch, zu nehmen; und jetzt deutete uns der Schlegelsche Ausdruck an, daß der vollkommne idealische Zuschauer die Welt der Szene gar nicht ästhetisch, sondern leibhaft empirisch auf sich wirken lasse. O über diese Griechen! seufzten wir; sie werfen uns unsre Ästhetik um! Daran aber gewöhnt, wiederholten wir den Schlegelschen Spruch, sooft der Chor zur Sprache kam.

Aber jene so ausdrückliche Überlieferung redet hier gegen Schlegel: Der Chor an sich, ohne Bühne, also die primitive Gestalt der Tragödie und jener Chor idealischer Zuschauer vertragen sich nicht miteinander. Was wäre das für eine Kunstgattung, die aus dem Begriff des Zuschauers herausgezogen wäre, als deren eigentliche Form der „Zuschauer an sich" zu gelten hätte. Der Zuschauer ohne Schauspiel ist ein widersinniger Begriff. Wir fürchten, daß *die Geburt der Tragödie* weder aus der Hochachtung vor der sittlichen Intelligenz der Masse noch aus dem Begriff des schauspiellosen Zuschauers zu erklären sei, und halten dies Problem für zu tief, um von so flachen Betrachtungsarten auch nur berührt zu werden.

Eine unendlich wertvollere Einsicht über die Bedeutung des Chors hatte bereits Schiller in der berühmten *Vorrede zur Braut von Messina* verraten, der den Chor als eine lebendige Mauer betrachtete, die die Tragödie um sich herum zieht, um sich von der wirklichen Welt rein abzuschließen und sich ihren idealen Boden und ihre poetische Freiheit zu bewahren.

Schiller kämpft mit dieser seiner Hauptwaffe gegen den gemeinen Begriff des Natürlichen, gegen die bei der dramatischen Poesie gemeinhin geheischte Illusion. Während der Tag selbst auf dem Theater nur ein künstlicher, die Architektur nur eine symbolische sei und die metrische Sprache einen idealen Charakter trage, herrsche immer noch der Irrtum im ganzen: es sei nicht genug, daß man d a s nur als eine poetische Freiheit dulde, was doch das Wesen aller Poesie sei. Die Einführung des Chores sei der entscheidende Schritt, mit dem jedem Naturalismus in der Kunst offen und ehrlich der Krieg erklärt werde. — Eine solche Betrachtungsart ist es, scheint mir, für die unser sich überlegen wähnendes Zeitalter das wegwerfende Schlagwort „Pseudoidealismus" gebraucht. Ich fürchte, wir sind dagegen mit unserer jetzigen Verehrung des Natürlichen und Wirklichen am *Gegenpol alles Idealismus* angelangt, nämlich in der Region der Wachsfigurenkabinette. Auch in ihnen gibt es eine Kunst wie bei gewissen beliebten Romanen der Gegenwart; nur quäle man uns nicht mit dem Anspruch, daß mit dieser Kunst der Schiller-Goethesche „Pseudoidealismus" überwunden sei.

Freilich ist es ein „idealer Boden", auf dem, nach der richtigen Einsicht Schillers, der griechische Satyrchor, der Chor der ursprünglichen Tragödie, zu wandeln pflegt, ein Boden, hoch emporgehoben über die wirkliche Wandelbahn der Sterblichen. Der Grieche hat sich für diesen Chor die Schwebegerüste eines fingierten Naturzustandes gezimmert und auf sie hin fingierte Naturwesen gestellt. Die Tragödie ist auf diesem Fundamente emporgewachsen und freilich schon deshalb von Anbeginn an einem peinlichen Abkonterfeien der Wirklichkeit enthoben gewesen. Dabei ist es doch keine willkürlich zwischen Himmel und Erde hineinphantasierte Welt; vielmehr eine *Welt von gleicher Realität* und Glaubwürdigkeit, wie sie der Olymp samt seinen Insassen für den gläubigen Hellenen besaß. Der Satyr als der dionysische Choreut lebt in einer religiös zugestandenen Wirklichkeit unter der Sanktion des Mythus und des Kultus. Daß mit ihm die Tragödie beginnt, daß aus ihm die dionysische Weisheit der Tragödie spricht, ist ein hier uns ebenso befremdendes Phänomen wie überhaupt die Entstehung der Tragödie aus dem Chore. Vielleicht gewinnen wir einen Ausgangspunkt der Betrachtung, wenn ich die Behauptung hinstelle, daß sich der Satyr, das fingierte Naturwesen, zu dem Kulturmenschen in gleicher Weise verhält wie die dionysische Musik zur Zivilisation. Von letzterer sagt Richard *Wagner,* daß sie von der Musik aufgehoben werde wie der Lampenschein vom Tageslicht. In gleicher Weise, glaube ich, fühlte sich der griechische Kulturmensch im Angesicht des Satyrchors aufgehoben: Und dies ist die nächste Wirkung der dionysischen Tragödie, daß der Staat und die Gesellschaft, überhaupt die Klüfte zwischen Mensch und Mensch einem übermächtigen Einheitsgefühle weichen, welches an das Herz der Natur zurückführt. Der metaphysische Trost – mit welchem, wie ich schon hier andeute, uns jede wahre Tragödie entläßt –, daß das Leben im Grunde der Dinge, trotz allem Wechsel der Erscheinungen, unzerstörbar mächtig und lustvoll sei, dieser Trost erscheint in leibhafter Deutlichkeit als Satyrchor, als Chor von Naturwesen, die gleichsam hinter aller Zivilisation unvertilgbar leben und trotz allem Wechsel der Generationen und der Völkergeschichte ewig dieselben bleiben.

Mit diesem Chore tröstet sich der tiefsinnige und zum zartesten und schwersten Leiden einzig befähigte Hellene, der mit schneidigem Blicke mitten in das furchtbare Vernichtungstreiben der sogenannten Weltgeschichte ebenso wie in die Grausamkeit der Natur geschaut hat und in Gefahr ist, sich nach einer buddhaistischen Verneinung des Willens zu sehnen. *Ihn rettet die Kunst,* und durch die Kunst rettet ihn sich - das Leben.

Die Verzückung des dionysischen Zustandes, mit seiner Vernichtung der gewöhnlichen Schranken und Grenzen des Daseins, enthält nämlich während seiner Dauer ein le th arg is ch es Element, in das sich alles persönlich in der Vergangenheit Erlebte eintaucht. So scheidet sich durch diese Kluft der Vergessenheit die Welt der alltäglichen und der dionysischen Wirklichkeit voneinander ab. Sobald aber jene alltägliche Wirklichkeit wieder ins Bewußtsein tritt, wird sie mit Ekel als solche empfunden; eine asketische, willenverneinende Stimmung ist die Frucht jener Zustände. In diesem Sinne hat der dionysische Mensch Ähnlichkeit mit Hamlet: Beide haben einmal einen wahren Blick in das Wesen der Dinge getan, sie haben e r k a n n t, und es ekelt sie zu handeln; denn ihre Handlung kann nichts am ewigen Wesen der Dinge ändern, sie empfinden es als lächerlich oder schmachvoll, daß ihnen zugemutet wird, die Welt, die aus den Fugen ist, wiedereinzurichten. Die Erkenntnis tötet das Handeln, zum Handeln gehört das Umschleiertsein durch die Illusion – das ist die Hamletlehre, nicht jene wohlfeile Weisheit von Hans dem Träumer, der aus zuviel

Reflexion, gleichsam aus einem Überschuß von Möglichkeiten, nicht zum Handeln kommt; nicht das Reflektieren, nein! – die wahre Erkenntnis, der Einblick in die grauenhafte Wahrheit überwiegt jedes zum Handeln antreibende Motiv, bei Hamlet sowohl als bei dem dionysischen Menschen. Jetzt verfängt kein Trost mehr, die Sehnsucht geht über eine Welt nach dem Tode, über die Götter selbst hinaus, das Dasein wird, samt seiner gleißenden Widerspiegelung in den Göttern oder in einem unsterblichen Jenseits, verneint. In der Bewußtheit der einmal geschauten Wahrheit sieht jetzt der Mensch überall nur das Entsetzliche oder Absurde des Seins, jetzt versteht er das Symbolische im Schicksal der Ophelia, jetzt erkennt er die Weisheit des Waldgottes Silen: Es ekelt ihn.

Hier, in dieser höchsten Gefahr des Willens, naht sich, als rettende, heilkundige Zauberin, die Kunst; sie allein vermag jene Ekelgedanken über das Entsetzliche oder Absurde des Daseins in Vorstellungen umzubiegen, mit denen sich leben läßt: Diese sind das Erhabene, als die künstlerische Bändigung des Entsetzlichen, und das Komische, als die künstlerische Entladung vom Ekel des Absurden. Der Satyrchor des Dithyrambus ist die rettende Tat der griechischen Kunst; an der Mittelwelt dieser dionysischen Begleiter erschöpften sich jene vorhin beschriebenen Anwandlungen.

8

Der Satyr wie der idyllische Schäfer unserer neueren Zeit sind beide: Ausgeburten einer auf das Ursprüngliche und Natürliche gerichteten Sehnsucht; aber mit welchem festen unerschrocknen Griffe faßte der Grieche nach seinem Waldmenschen, wie verschämt und weichlich tändelte der moderne Mensch mit dem Schmeichelbild eines zärtlichen, flö-

tenden, weichgearteten Hirten! Die Natur, an der noch
keine Erkenntnis gearbeitet, in der die Riegel der Kultur
noch unerbrochen sind – das sah der Grieche in seinem
Satyr, der ihm deshalb noch nicht mit dem Affen zusam-
menfiel. Im Gegenteil! Es war das Urbild des Menschen,
der Ausdruck seiner höchsten und stärksten Regungen –:
als begeisterter Schwärmer, den die Nähe des Gottes entzückt –: als mitleidender Genosse, in dem sich das Leiden
des Gottes wiederholt –: als Weisheitsverkünder aus der tiefsten Brust der Natur heraus –: als Sinnbild der geschlechtlichen Allgewalt der Natur, die der Grieche gewöhnt ist,
mit ehrfürchtigem Staunen zu betrachten. Der Satyr war
etwas Erhabenes und Göttliches: So mußte er besonders
dem schmerzlich gebrochnen Blick des dionysischen Menschen dünken. Ihn hätte der geputzte, erlogene Schäfer
beleidigt: Auf den unverhüllten und unverkümmert großartigen Schriftzügen der Natur weilte sein Auge in erhabener Befriedigung; hier war die Illusion der Kultur von
dem Urbilde des Menschen weggewischt, hier enthüllte sich
der wahre Mensch, der bärtige Satyr, der zu seinem Gotte
aufjubelt. Vor ihm schrumpfte der Kulturmensch zur
lügenhaften Karikatur zusammen. Auch für diese Anfänge
der tragischen Kunst hat Schiller recht: Der Chor ist eine
lebendige Mauer gegen die anstürmende Wirklichkeit, weil
er – der Satyrchor – das Dasein wahrhaftiger, wirklicher,
vollständiger abbildet als der gemeinhin sich als einzige
Realität achtende Kulturmensch. Die Sphäre der Poesie
liegt nicht außerhalb der Welt, als eine phantastische Un-
möglichkeit eines Dichterhirns: Sie will das gerade Gegenteil sein, der ungeschminkte Ausdruck der Wahrheit, und
muß ebendeshalb den lügenhaften Aufputz jener vermein-
ten Wirklichkeit des Kulturmenschen von sich werfen. Der
Kontrast dieser eigentlichen Naturwahrheit und der sich
als einzige Realität gebärdenden Kulturlüge ist ein ähnlicher wie zwischen dem ewigen Kern der Dinge, dem Ding

an sich, und der gesamten Erscheinungswelt; und wie die Tragödie mit ihrem metaphysischen Troste auf das ewige Leben jenes Daseinskernes bei dem fortwährenden Untergange der Erscheinungen hinweist, so spricht bereits die Symbolik des Satyrchors in einem Gleichnis jenes Urverhältnis zwischen *Ding an sich* und *Erscheinung* aus. Jener idyllische Schäfer des modernen Menschen ist nur ein Konterfei der ihm als Natur *geltenden* Summe von Bildungsillusionen; der dionysische Grieche will die Wahrheit und die Natur in ihrer höchsten Kraft – er sieht *sich* zum Satyr verzaubert.

Unter solchen Stimmungen und Erkenntnissen jubelt die schwärmende Schar der Dionysusdiener: deren Macht sie selbst vor ihren eignen Augen verwandelt, so daß sie sich als wiederhergestellte Naturgenien, als Satyrn, zu erblikken wähnen. Die spätere Konstitution des Tragödienchors ist die künstlerische Nachahmung jenes natürlichen Phänomens; bei der nun allerdings eine Scheidung von dionysischen *Zuschauern* und dionysischen *Verzauberten* nötig wurde. Nur muß man sich immer gegenwärtig halten, daß das Publikum der attischen Tragödie *sich selbst* in dem Chore der Orchestra wiederfand, daß es im Grunde keinen Gegensatz von Publikum und Chor gab: Denn alles ist nur ein großer erhabener Chor von tanzenden und singenden Satyrn oder von solchen, welche sich durch diese Satyrn repräsentieren lassen. Das Schlegelsche Wort muß sich uns hier in einem tieferen Sinne erschließen. Der Chor ist der „idealische Zuschauer", insofern er der einzige S c h a u e r ist, der Schauer der Visionswelt der Szene. Ein Publikum von Zuschauern, wie wir es kennen, war den Griechen unbekannt: In ihren Theatern war es jedem bei dem in konzentrischen Bogen sich erhebenden Terrassenbau des Zuschauerraumes möglich, die gesamte Kulturwelt um sich herum ganz eigentlich zu ü b e r s e h e n und in gesättigtem Hinschauen sich selbst Choreut zu wähnen. Nach dieser

Einsicht dürfen wir den Chor auf seiner primitiven Stufe in der Urtragödie eine *Selbstspiegelung* des dionysischen Menschen nennen: welches Phänomen am deutlichsten durch den Prozeß des Schauspielers zu machen ist, der, bei wahrhafter Begabung, sein von ihm darzustellendes Rollenbild zum Greifen wahrnehmbar vor seinen Augen schweben sieht. Der Satyrchor ist zuallererst eine Vision der dionysischen Masse, wie wiederum die Welt der Bühne eine Vision dieses Satyrchors ist: Die Kraft dieser Vision ist stark genug, um gegen den Eindruck der „Realität", gegen die rings auf den Sitzreihen gelagerten Bildungsmenschen den Blick stumpf und unempfindlich zu machen. Die Form des griechischen Theaters erinnert an ein einsames Gebirgstal: Die Architektur der Szene erscheint wie ein leuchtendes Wolkenbild, welches die im Gebirge herumschwärmenden Bacchen von der Höhe aus erblicken, als die herrliche Umrahmung, in deren Mitte ihnen das Bild des Dionysus offenbar wird.

Jene künstlerische Urerscheinung, die wir hier zur Erklärung des Tragödienchors zur Sprache bringen, ist bei unserer gelehrtenhaften Anschauung über die elementaren künstlerischen Prozesse fast anstößig; während nichts ausgemachter sein kann, als daß der Dichter nur *dadurch* Dichter ist, daß er von Gestalten sich umringt sieht, die vor ihm leben und handeln und in deren innerstes Wesen er hineinblickt. Durch eine eigentümliche Schwäche der modernen Begabung sind wir geneigt, uns das ästhetische Urphänomen zu kompliziert und abstrakt vorzustellen. Die Metapher ist für den echten Dichter nicht eine rhetorische Figur, sondern ein stellvertretendes Bild, das ihm *wirklich*, an Stelle eines Begriffes, vorschwebt. Der Charakter ist für ihn nicht etwas aus zusammengesuchten Einzelzügen komponiertes Ganzes, sondern eine vor seinen Augen aufdringlich lebendige *Person*, die von der gleichen Vision des Malers sich nur durch das fortwährende Weiterleben und Weiterhandeln unterscheidet. Wodurch schildert Homer so viel anschaulicher als alle Dichter? Weil er um so viel mehr anschaut. Wir reden über Poesie so abstrakt, weil wir alle schlechte Dichter zu sein pflegen. Im Grunde ist das ästhetische Phänomen einfach; man habe nur die Fähigkeit, fortwährend ein lebendiges Spiel zu sehen und immerfort von Geisterscharen umringt zu leben, so ist man Dichter; man fühle nur den Trieb, sich selbst zu verwandeln und aus anderen Leibern und Seelen herauszureden, so ist man Dramatiker.

Die dionysische Erregung ist imstande, einer ganzen Masse diese künstlerische Begabung mitzuteilen, sich von einer solchen Geisterschar umringt zu sehen, mit der sie sich innerlich eins weiß. Dieser Prozeß des Tragödienchors ist das dramatische Urphänomen: sich selbst vor sich verwandelt zu sehen und jetzt zu handeln, als ob man wirklich in einen andern Leib, in einen andern Charakter eingegangen wäre. Dieser Prozeß steht an dem Anfang der Entwickelung des Dramas. Hier ist etwas anderes als der Rhapsode, der mit seinen Bildern nicht verschmilzt, sondern sie, dem Maler ähnlich, mit betrachtendem Auge *außer sich* sieht; hier ist bereits ein Aufgeben des Individuums durch Einkehr in eine fremde Natur. Und zwar tritt dieses Phänomen epidemisch auf: Eine ganze Schar fühlt sich in dieser Weise verzaubert. Der Dithyramb ist deshalb wesentlich von jedem anderen Chorgesange unterschieden. Die Jungfrauen, die mit Lorbeerzweigen in der Hand feierlich zum Tempel des Apollo ziehn und dabei ein Prozessionslied singen, *bleiben,* wer sie sind, und behalten ihren bürgerlichen Namen; der dithyrambische Chor ist ein Chor von *Verwandelten,* bei denen ihre bürgerliche Vergangenheit, ihre soziale Stellung völlig vergessen ist: Sie sind die zeitlosen, außerhalb aller Gesellschaftssphären lebenden Diener ihres Gottes geworden. Alle andere Chorlyrik der Hellenen ist nur eine ungeheure Steigerung des apollinischen Einzelsängers; während im Dithyramb eine Gemeinde von unbewußten Schauspielern vor uns steht, die sich selbst untereinander als verwandelt ansehen.

Die Verzauberung ist die Voraussetzung aller dramatischen Kunst. In dieser Verzauberung sieht sich der dionysische Schwärmer als Satyr, und als Satyr wiederum schaut er den Gott, das heißt, er sieht in seiner Verwandlung eine neue Vision außer sich –: als apollinische Vollendung seines Zustandes. Mit dieser neuen Vision ist das Drama vollständig.

Nach dieser Erkenntnis haben wir die griechische Tragödie als den dionysischen Chor zu verstehen, der sich immer von neuem wieder in einer apollinischen Bilderwelt entladet. Jene Chorpartien, mit denen die Tragödie durchflochten ist, sind also gewissermaßen der Mutterschoß des ganzen sogenannten Dialogs, das heißt der gesamten Bühnenwelt, des eigentlichen Dramas. In mehreren aufeinanderfolgenden Entladungen strahlt dieser Urgrund der Tragödie jene Vision des Dramas aus: die durchaus Traumerscheinung und insofern epischer Natur ist, andrerseits aber, als Objektivation eines dionysischen Zustandes, nicht die apollinische Erlösung im Scheine, sondern im Gegenteil das Zerbrechen des Individuums und sein Einswerden mit dem Ursein darstellt. Somit ist das Drama die apollinische Versinnlichung dionysischer Erkenntnisse und Wirkungen und dadurch wie durch eine ungeheure Kluft vom Epos abgeschieden.

Der Chor der griechischen Tragödie, das Symbol der gesamten dionysisch erregten Masse, findet an dieser unserer Auffassung seine volle Erklärung. Während wir mit der Gewöhnung an die Stellung eines Chors auf der modernen Bühne, zumal eines Opernchors, gar nicht begreifen konnten, wie jener tragische Chor der Griechen älter, ursprünglicher, ja wichtiger sein sollte als die eigentliche „Aktion" – wie dies doch so deutlich überliefert war –, während wir wiederum mit jener überlieferten hohen Wichtigkeit und Ursprünglichkeit nicht reimen konnten, warum er doch nur aus niedrigen dienenden Wesen, ja zuerst nur aus bocksartigen Satyrn zusammengesetzt worden sei, während uns die Orchestra vor der Szene immer ein Rätsel blieb, sind wir jetzt zu der Einsicht gekommen, daß die Szene samt der Aktion im Grunde und ursprünglich nur als Vision gedacht wurde, daß die einzige „Realität" ebender Chor ist, der die Vision aus sich erzeugt und von ihr mit der ganzen Symbolik des Tanzes, des Tones und des Wortes redet. Dieser Chor schaut in seiner Vision seinen Herrn und Meister Dionysus und ist darum ewig der dienende Chor: Er sieht, wie dieser, der Gott, leidet und sich verherrlicht, und handelt deshalb selbst nicht. Bei dieser dem Gotte gegenüber durchaus *dienenden* Stellung ist er doch der *höchste*, nämlich dionysische *Ausdruck* der Natur und redet darum, wie diese, in der Begeisterung Orakel- und Weisheitssprüche: Als der mitleidende ist er zugleich der weise, aus dem Herzen der Welt die Wahrheit verkündende. So entsteht denn jene phantastische und so anstößig scheinende Figur des weisen und begeisterten Satyrs, der zugleich „der tumbe Mensch" im Gegensatz zum Gotte ist: Abbild der Natur und ihrer stärksten Triebe, ja Symbol derselben und zugleich Verkünder ihrer Weisheit und Kunst: Musiker, Dichter, Tänzer, Geisterseher in *einer* Person.

Dionysus, der eigentliche Bühnenheld und Mittelpunkt der Vision, ist gemäß dieser Erkenntnis und gemäß der Überlieferung, zuerst, in der allerältesten Periode der Tragödie, *nicht wahrhaft vorhanden*, sondern wird nur *als vorhanden vorgestellt;* das heißt, ursprünglich ist die Tragödie nur „Chor" und nicht „Drama". Später wird nun der Versuch gemacht, den Gott als einen realen zu zeigen und die Visionsgestalt samt der verklärenden Umrahmung als jedem Auge sichtbar darzustellen; damit beginnt das

„Drama" im engeren Sinne. Jetzt bekommt der dithyrambische Chor die Aufgabe, die Stimmung der Zuhörer bis zu dem Grade dionysisch anzuregen, daß sie, wenn der tragische Held auf der Bühne erscheint, nicht etwa den unförmlich maskierten Menschen sehen, sondern eine gleichsam aus ihrer eignen Verzückung geborene Visionsgestalt. Denken wir uns *Admet* mit tiefem Sinnen seiner jüngst abgeschiedenen Gattin Alkestis *(Euripides)* gedenkend und ganz im geistigen Anschauen derselben sich verzehrend – wie ihm nun plötzlich ein ähnlich gestaltetes, ähnlich schreitendes Frauenbild in Verhüllung entgegengeführt wird; denken wir uns seine plötzliche zitternde Unruhe, sein stürmisches Vergleichen, seine instinktive Überzeugung – so haben wir ein Analogon zu der Empfindung, mit der der dionysisch erregte Zuschauer den Gott auf der Bühne heranschreiten sah, mit dessen Leiden er bereits eins geworden ist. Unwillkürlich übertrug er das ganze magisch vor seiner Seele zitternde Bild des Gottes auf jene maskierte Gestalt und löste ihre Realität gleichsam in eine geisterhafte Unwirklichkeit auf. Dies ist der apollinische Traumeszustand, in dem die Welt des Tages sich verschleiert und eine neue Welt deutlicher, verständlicher, ergreifender als jene und doch schattengleicher, in fortwährendem Wechsel sich unserem Auge neu gebiert. Demgemäß erkennen wir in der Tragödie einen durchgreifenden Stilgegensatz: Sprache, Farbe, Beweglichkeit, Dynamik der Rede treten in der dionysischen Lyrik des Chors und andrerseits in der apollinischen Traumwelt der Szene *als völlig gesonderte Sphären* des Ausdrucks auseinander. Die apollinischen Erscheinungen, in denen sich Dionysus objektiviert, sind nicht mehr „ein ewiges Meer, ein wechselnd Weben, ein glühend Leben", wie es die Musik des Chors ist, nicht mehr jene nur empfundenen, nicht zum Bilde verdichteten Kräfte, in denen der begeisterte Dionysusdiener die Nähe des Gottes spürt: Jetzt spricht, von der Szene aus, die Deutlichkeit und Fe-

stigkeit der epischen Gestaltung zu ihm, jetzt redet Dionysus nicht mehr durch Kräfte, sondern als epischer Held, fast
mit der Sprache Homers.

9

Alles, was im apollinischen Teile der griechischen Tragödie,
im Dialoge, auf die Oberfläche kommt, sieht einfach, durchsichtig, schön aus. In diesem Sinne ist der Dialog ein Abbild
des Hellenen, dessen Natur sich im Tanze offenbart, weil
im Tanze die größte Kraft nur potenziell ist, aber sich in
der Geschmeidigkeit und Üppigkeit der Bewegung verrät.
So überrascht uns die Sprache der sophokleischen Helden
durch ihre apollinische Bestimmtheit und Helligkeit, so daß
wir sofort bis in den innersten Grund ihres Wesens zu blik-
ken wähnen, mit einigem Erstaunen, daß der Weg bis zu
diesem Grunde so kurz ist. Sehen wir aber einmal von dem
auf die Oberfläche kommenden und sichtbar werdenden
Charakter des Helden ab – der im Grunde nichts mehr ist
als das auf eine dunkle Wand geworfene Lichtbild, das
heißt: Erscheinung durch und durch –, dringen wir vielmehr
in den Mythus ein, der in diesen hellen Spiegelungen sich
projiziert, so erleben wir plötzlich ein Phänomen, das ein
umgekehrtes Verhältnis zu einem bekannten optischen hat.
Wenn wir bei einem kräftigen Versuch, die Sonne ins Auge
zu fassen, uns geblendet abwenden, so haben wir dunkle
farbige Flecken gleichsam als Heilmittel vor den Augen;
umgekehrt sind jene Lichtbilderscheinungen des sophokleischen Helden, kurz das Apollinische der Maske, notwendige
Erzeugungen eines Blickes ins Innere und Schreckliche der
Natur, gleichsam leuchtende Flecken zur Heilung des von
grausiger Nacht versehrten Blickes. Nur in diesem Sinne
dürfen wir glauben, den ernsthaften und bedeutenden Begriff der „griechischen Heiterkeit" richtig zu fassen; während wir allerdings den falsch verstandenen Begriff dieser

Heiterkeit im Zustande ungefährdeten Behagens auf allen Wegen und Stegen der Gegenwart antreffen.

Die leidvollste Gestalt der griechischen Bühne, der unglückselige Ödipus, ist von *Sophokles* als der edle Mensch verstanden worden, der zum Irrtum und zum Elend trotz seiner Weisheit bestimmt ist, der aber am Ende durch sein ungeheures Leiden eine magische segensreiche Kraft um sich ausübt, die noch über sein Verscheiden hinaus wirksam ist. Der edle Mensch sündigt nicht, will uns der tiefsinnige Dichter sagen: Durch sein Handeln mag jedes Gesetz, jede natürliche Ordnung, ja die sittliche Welt zugrunde gehen, eben durch dieses Handeln wird ein höherer magischer Kreis von Wirkungen gezogen, die eine neue Welt auf den Ruinen der umgestürzten alten gründen. Das will uns der Dichter, insofern er zugleich religiöser Denker ist, sagen: Als Dichter zeigt er uns zuerst einen wunderbar geschürzten Prozeßknoten, den der Richter langsam, Glied für Glied, zu seinem eigenen Verderben löst; die echt hellenische Freude an dieser dialektischen Lösung ist so groß, daß hierdurch ein Zug von überlegener Heiterkeit über das ganze Werk kommt, der den schauderhaften Voraussetzungen jenes Prozesses überall die Spitze abbricht. Im „Ödipus auf Kolonos" treffen wir diese selbe Heiterkeit, aber in eine unendliche Verklärung emporgehoben; dem vom Übermaße des Elends betroffenen Greise gegenüber, der allem, was ihn betrifft, rein als Leidender preisgegeben ist – steht die überirdische Heiterkeit, die aus göttlicher Sphäre herniederkommt und uns andeutet, daß der Held in seinem rein passiven Verhalten seine höchste Aktivität erlangt, die weit über sein Leben hinausgreift, während sein bewußtes Dichten und Trachten im früheren Leben ihn nur zur Passivität geführt hat. So wird der für das sterbliche Auge unauflöslich verschlungene Prozeßknoten der Ödipusfabel langsam entwirrt – und die tiefste menschliche Freude überkommt uns bei diesem göttlichen Gegenstück der Dialektik. Wenn wir mit dieser Erklärung dem Dichter gerecht geworden sind, so kann doch immer noch gefragt werden, ob damit der Inhalt des Mythus erschöpft ist: Und hier zeigt sich, daß die ganze Auffassung des Dichters nichts ist als ebenjenes Lichtbild, welches uns, nach einem Blick in den Abgrund, die heilende Natur vorhält. Ödipus, der *Mörder seines Vaters, der Gatte seiner Mutter*, Ödipus, der *Rätsellöser der Sphinx!* Was sagt uns die geheimnisvolle Dreiheit dieser Schicksalstaten? Es gibt einen uralten, besonders persischen Volksglauben, daß ein weiser Magier nur aus Inzest geboren werden könne: was wir uns im Hinblick auf den rätsellösenden und seine Mutter freienden Ödipus sofort so zu interpretieren haben, daß dort, wo durch weissagende und magische Kräfte der Bann von Gegenwart und Zukunft, das starre Gesetz der Individuation und überhaupt der eigentliche Zauber der Natur gebrochen ist, eine ungeheure Naturwidrigkeit – wie dort der Inzest – als Ursache vorausgegangen sein muß; denn wie könnte man die Natur zum Preisgeben ihrer Geheimnisse zwingen, wenn nicht dadurch, daß man ihr siegreich widerstrebt, das heißt durch das Unnatürliche? Diese Erkenntnis sehe ich in jener entsetzlichen Dreiheit der Ödipusschicksale ausgeprägt: Derselbe, der das Rätsel der Natur – jener doppeltgearteten Sphinx – löst, muß auch als Mörder des Vaters und Gatte der Mutter die heiligsten Naturordnungen zerbrechen. Ja, der Mythus scheint uns zuraunen zu wollen, daß die Weisheit, und gerade die dionysische Weisheit, ein naturwidriger Greuel sei, daß der, welcher durch sein Wissen die Natur in den Abgrund der Vernichtung stürzt, auch an sich selbst die Auflösung der Natur zu erfahren habe. „Die Spitze der Weisheit kehrt sich gegen den Weisen; Weisheit ist ein Verbrechen an der Natur." Solche schreckliche Sätze ruft uns der Mythus zu; der hellenische Dichter aber berührt wie ein Sonnenstrahl die erhabene und furchtbare Memnonssäule des Mythus, so daß er plötzlich zu tönen beginnt – in sophokleischen Melodien!

Der Glorie der Passivität stelle ich jetzt die Glorie der Aktivität gegenüber, welche den Prometheus des *Äschylus* umleuchtet. Was uns hier der Denker Äschylus zu sagen hatte, was er aber als Dichter durch sein gleichnisartiges Bild uns nur ahnen läßt, das hat uns der jugendliche *Goethe* in den verwegenen Worten seines Prometheus zu enthüllen gewußt:

> Hier sitz' ich, forme Menschen
> nach meinem Bilde,
> ein Geschlecht, das mir gleich sei,
> zu leiden, zu weinen,
> zu genießen und zu freuen sich
> und dein nicht zu achten –
> wie ich!

Der Mensch, ins Titanische sich steigernd, erkämpft sich selbst seine Kultur und zwingt die Götter, sich mit ihm zu verbinden, weil er in seiner selbsteignen Weisheit die Existenz und die Schranken derselben in seiner Hand hat. Das Wunderbarste an jenem Prometheusgedicht, das seinem Grundgedanken nach der eigentliche *Hymnus der Unfrömmigkeit* ist, ist aber der tiefe äschyleische Zug nach Gerechtigkeit: das unermeßliche Leid des kühnen *„einzelnen"* auf der einen Seite und die göttliche Not, ja Ahnung einer Götterdämmerung auf der andern, die zur Versöhnung, zum metaphysischen Einssein zwingende Macht jener beiden Leidenswelten – dies alles erinnert auf das stärkste an den Mittelpunkt und Hauptsatz der äschyleischen Weltbetrachtung, die über Göttern und Menschen die Moira als ewige Gerechtigkeit thronen sieht. Bei der erstaunlichen Kühnheit, mit der Äschylus die olympische Welt auf seine Gerechtigkeitswaagschalen stellt, müssen wir uns vergegenwärtigen, daß der tiefsinnige Grieche einen unverrückbar festen Untergrund des metaphysischen Denkens in seinen Mysterien hatte und daß sich an den Olympiern alle seine skeptischen Anwandelungen entladen konnten. Der griechische Künstler insbesondere empfand im Hinblick auf diese Gottheiten ein dunkles Gefühl wechselseitiger Abhängigkeit: Und gerade im Prometheus des Äschylus ist dieses Gefühl symbolisiert. Der titanische Künstler fand in sich den trotzigen Glauben, Menschen schaffen und olympische Götter wenigstens vernichten zu können: und dies durch seine höhere Weisheit, die er freilich durch ewiges Leiden zu büßen gezwungen war. Das herrliche „Können" des großen Genius, das selbst mit ewigem Leide zu gering bezahlt ist, der herbe Stolz des Künstlers – das ist *Inhalt* und *Seele* der äschyleischen Dichtung, während *Sophokles* in seinem *Ödipus* das Siegeslied des Heiligen präludierend anstimmt. Aber auch mit jener Deutung, die Äschylus dem Mythus gegeben hat, ist dessen erstaunliche Schreckenstiefe nicht ausgemessen: Vielmehr ist die Werdelust des Künstlers, die jedem Unheil trotzende Heiterkeit des künstlerischen Schaffens nur ein lichtes Wolken- und Himmelsbild, das sich auf einem schwarzen See der Traurigkeit spiegelt. Die Prometheussage ist ein ursprüngliches Eigentum der gesamten arischen Völkergemeinde und ein Dokument für deren Begabung zum Tiefsinnig-Tragischen, ja es möchte nicht ohne Wahrscheinlichkeit sein, daß diesem Mythus für das arische Wesen ebendieselbe charakteristische Bedeutung innewohnt, die der Sündenfallmythus für das semitische hat, und daß zwischen beiden Mythen ein Verwandtschaftsgrad existiert –: wie zwischen Bruder und Schwester. Die Voraussetzung jenes Prometheusmythus ist der überschwengliche Wert, den eine naive Menschheit dem Feuer beilegt als dem wahren Palladium jeder aufsteigenden Kultur: daß aber der Mensch frei über das Feuer waltet und es nicht nur durch ein Geschenk vom Himmel, als zündenden Blitzstrahl oder wärmenden Sonnenbrand, empfängt, erschien jenen beschaulichen Urmenschen als ein Frevel, als ein Raub an der göttlichen Natur. Und so stellt gleich das erste philosophische Problem einen peinlichen unlösbaren Widerspruch zwischen

Mensch und Gott hin und rückt ihn wie einen Felsblock an die Pforte jeder Kultur. Das Beste und Höchste, dessen die Menschheit teilhaftig werden kann, erringt sie durch einen Frevel und muß nun wieder seine Folgen dahinnehmen, nämlich die ganze Flut von Leiden und von Kümmernissen, mit denen die beleidigten Himmlischen das edel emporstrebende Menschengeschlecht heimsuchen – *müssen*: ein herber Gedanke, der durch die Würde, die er dem Frevel erteilt, seltsam gegen den semitischen Sündenfallmythus absticht, in welchem die Neugierde, die lügnerische Vorspiegelung, die Verführbarkeit, die Lüsternheit, kurz eine Reihe vornehmlich *weiblicher* Affektionen als der Ursprung des Übels angesehen wurde. Das, was die arische Vorstellung auszeichnet, ist die erhabene Ansicht von der aktiven Sünde als der eigentlich prometheischen Tugend: womit zugleich der ethische Untergrund der pessimistischen Tragödie gefunden ist, als die Rechtfertigung des menschlichen Übels, und zwar sowohl der menschlichen Schuld als des dadurch verwirkten Leidens. Das Unheil im Wesen der Dinge – das der beschauliche Arier nicht geneigt ist wegzudeuteln –, der Widerspruch im Herzen der Welt offenbart sich ihm als ein Durcheinander verschiedener Welten, zum Beispiel einer göttlichen und einer menschlichen, von denen jede als Individuum im Recht ist, aber als einzelne neben einer andern für ihre Individuation zu leiden hat. Bei dem heroischen Drange des einzelnen ins Allgemeine, bei dem Versuche, über den Bann der Individuation hinauszuschreiten und das eine Weltwesen selbst sein zu wollen, erleidet er an sich den in den Dingen verborgenen Urwiderspruch, das heißt, er frevelt und leidet. So wird *von den Ariern der Frevel als Mann, von den Semiten die Sünde als Weib* verstanden, so wie auch der *Urfrevel* vom Manne, die *Ursünde* vom Weibe begangen wird. Übrigens sagt der Hexenchor:

> Wir nehmen das nicht so genau:
> Mit tausend Schritten macht's die Frau;

doch wie sie auch sich eilen kann,
mit einem Sprunge macht's der Mann.

Wer jenen innersten Kern der Prometheussage versteht – nämlich die dem titanisch strebenden Individuum gebotene Notwendigkeit des Frevels –, der muß auch zugleich das Unapollinische dieser pessimistischen Vorstellung empfinden; denn Apollo will die Einzelwesen gerade dadurch zur Ruhe bringen, daß er Grenzlinien zwischen ihnen zieht und daß er immer wieder an diese als an die heiligsten Weltgesetze mit seinen Forderungen der Selbsterkenntnis und des Maßes erinnert. Damit aber bei dieser apollinischen Tendenz die Form nicht zu ägyptischer Steifigkeit und Kälte erstarre, damit nicht unter dem Bemühen, der einzelnen Welle ihre Bahn und ihr Bereich vorzuschreiben, die Bewegung des ganzen Sees ersterbe, zerstörte von Zeit zu Zeit wieder die hohe Flut des Dionysischen alle jene kleinen Zirkel, in die der einseitig apollinische „Wille" das Hellenentum zu bannen suchte. Jene plötzlich anschwellende Flut des Dionysischen nimmt dann die einzelnen kleinen Wellenberge der Individuen auf ihren Rücken wie der Bruder des Prometheus, der Titan Atlas: die Erde. Dieser titanische Drang, gleichsam der Atlas aller einzelnen zu werden und sie mit breitem Rücken höher und höher, weiter und weiter zu tragen, ist das Gemeinsame zwischen dem Prometheischen und dem Dionysischen. Der äschyleische Prometheus ist in diesem Betracht eine dionysische Maske, während in jenem vorhin erwähnten tiefen Zuge nach Gerechtigkeit Äschylus seine väterliche Abstammung von Apollo, dem Gotte der Individuation und der Gerechtigkeitsgrenzen, dem Einsichtigen verrät. Und so möchte das Doppelwesen des äschyleischen Prometheus, seine zugleich dionysische und apollinische Natur, in begrifflicher Formel so ausgedrückt werden können: „Alles Vorhandene ist gerecht und ungerecht und in beidem gleichberechtigt."

Das ist deine Welt! Das heißt eine Welt! –

10

Es ist eine unanfechtbare Überlieferung, daß die griechische Tragödie in ihrer ältesten Gestalt nur die Leiden des Dionysus zum Gegenstand hatte und daß der längere Zeit hindurch einzig vorhandene Bühnenheld eben Dionysus war. Aber mit der gleichen Sicherheit darf behauptet werden, daß niemals bis auf Euripides Dionysus aufgehört hat, der tragische Held zu sein, sondern daß alle die berühmten Figuren der griechischen Bühne: Prometheus, Ödipus und so weiter nur Masken jenes ursprünglichen Helden Dionysus sind. Daß hinter allen diesen Masken eine Gottheit steckt, das ist der eine wesentliche Grund für die so oft angestaunte typische „Idealität" jener berühmten Figuren. Es hat – ich weiß nicht wer – behauptet, daß alle *Individuen* als Individuen *komisch* und damit *untragisch* seien: woraus zu entnehmen wäre, daß die Griechen überhaupt Individuen auf der tragischen Bühne nicht ertragen k o n n t e n. In der Tat scheinen sie so empfunden zu haben: wie überhaupt jene platonische Unterscheidung und Wertabschätzung der „Idee" im Gegensatze zum „Idol", zum Abbild, tief im hellenischen Wesen begründet liegt. Um uns aber der Terminologie Platos zu bedienen, so wäre von den tragischen Gestalten der hellenischen Bühne etwa so zu reden: Der *eine wahrhaft reale Dionysus* erscheint *in einer Vielheit* der Gestalten, in der Maske eines kämpfenden Helden und gleichsam in das Netz des Einzelwillens verstrickt. So wie jetzt der erscheinende Gott redet und handelt, ähnelt er einem irrenden, strebenden, leidenden Individuum; und daß er überhaupt mit dieser epischen Bestimmtheit und Deutlichkeit e r s c h e i n t, ist die Wirkung des Traumdeuters Apollo, der dem Chore seinen dionysischen Zustand durch jene gleichnisartige Erscheinung deutet. In Wahrheit aber ist jener Held der leidende Dionysus der Mysterien, jener die Leiden der Individuation an sich erfahrende Gott, von dem wundervolle Mythen erzählen, wie er als Knabe von den Titanen zerstückelt worden sei und nun in diesem Zustande als Zagreus (Beiname des Dionysos) verehrt werde: wobei angedeutet wird, daß diese Zerstückelung, das eigentlich dionysische L e i d e n, gleich einer Umwandlung in Luft, Wasser, Erde und Feuer sei, daß wir also den Zustand der Individuation als den Quell und Urgrund alles Leidens, als etwas an sich Verwerfliches, zu betrachten hätten. Aus dem Lächeln dieses Dionysus sind die olympischen Götter, aus seinen Tränen die Menschen entstanden. In jener Existenz als zerstückelter Gott hat Dionysus die Doppelnatur eines grausamen, verwilderten Dämons und eines milden, sanftmütigen Herrschers. Die Hoffnung der Epopten (Beschauer, „Schauenden") ging aber auf eine Wiedergeburt des Dionysus, die wir jetzt als das Ende der Individuation ahnungsvoll zu begreifen haben: Diesem kommenden dritten Dionysus erscholl der brausende Jubelgesang der Epopten. Und nur in dieser Hoffnung gibt es einen Strahl von Freude auf dem Antlitze der zerrissenen, in Individuen zertrümmerten Welt: wie es der Mythus durch die in ewige Trauer versenkte Demeter verbildlicht, welche zum ersten Male wieder sich f r e u t, als man ihr sagt, sie könne den Dionysus n o c h e i n m a l gebären. In den angeführten Anschauungen haben wir bereits alle Bestandteile einer tiefsinnigen und pessimistischen Weltbetrachtung und zugleich damit d i e M y s t e r i e n l e h r e d e r T r a g ö d i e zusammen: die Grunderkenntnis von der Einheit alles Vorhandenen, die Betrachtung der Individuation als des Urgrundes des Übels, die Kunst als die freudige Hoffnung, daß der Bann der Individuation zu zerbrechen sei, als die Ahnung einer wiederhergestellten Einheit. —

Es ist früher angedeutet worden, daß das Homerische Epos die Dichtung der olympischen Kultur ist, mit der sie ihr eignes Siegeslied über die Schrecken des Titanenkampfes gesungen hat. Jetzt, unter dem übermächtigen Einflusse der tragischen Dichtung, werden die Homerischen Mythen von neuem ungeboren und zeigen in dieser Metempsychose (Seelenwanderung), daß inzwischen auch die olympische Kultur von einer noch tieferen Weltbetrachtung besiegt worden ist. Der trotzige Titan Prometheus hat es seinem olympischen Peiniger angekündigt, daß einst seiner Herrschaft die höchste Gefahr drohe, falls er nicht zur rechten Zeit sich mit ihm verbinden werde. In *Äschylus* erkennen wir das Bündnis des erschreckten, vor seinem Ende bangenden Zeus mit dem Titanen. So wird das frühere Titanenzeitalter nachträglich wieder aus dem Tartarus ans Licht geholt. Die Philosophie der wilden und nackten Natur schaut die vorübertanzenden Mythen der homerischen Welt mit der unverhüllten Miene der Wahrheit an: Sie erbleichen, sie zittern vor dem blitzartigen Auge dieser Göttin – bis sie die mächtige Faust des dionysischen Künstlers in den Dienst der neuen Gottheit zwingt. Die dionysische Wahrheit übernimmt das gesamte Bereich des Mythus als Symbolik i h r e r Erkenntnisse und spricht diese teils in dem öffentlichen Kultus der Tragödie, teils in den geheimen Begehungen dramatischer Mysterienfeste, aber immer unter der alten mythischen Hülle aus. Welche Kraft war dies, die den Prometheus von seinen Geiern befreite und den Mythus zum Vehikel dionysischer Weisheit umwandelte? Dies ist die heraklesmäßige Kraft der Musik: als welche, in der Tragödie zu ihrer höchsten Erscheinung gekommen, den Mythus mit neuer tiefsinnigster Bedeutsamkeit zu interpretieren weiß; wie wir dies als das mächtigste Vermögen der Musik früher schon zu charakterisieren hatten. Denn es ist das Los jedes Mythus, allmählich in die Enge einer angeblich historischen Wirklichkeit hineinzukriechen und von irgendeiner späteren Zeit als einmaliges Faktum mit historischen Ansprüchen behandelt zu werden: Und die Griechen waren bereits völlig auf dem Wege, ihren ganzen mythischen Jugendtraum mit Scharfsinn und Willkür in eine historisch-pragmatische

Jugendgeschichte umzustempeln. Denn dies ist die Art, wie Religionen abzusterben pflegen: wenn nämlich die mythischen Voraussetzungen einer Religion unter den strengen, verstandesmäßigen Augen eines rechtgläubigen Dogmatismus als eine fertige Summe von historischen Ereignissen systematisiert werden und man anfängt, ängstlich die Glaubwürdigkeit der Mythen zu verteidigen, aber gegen jedes natürliche Weiterleben und Weiterwuchern derselben sich zu sträuben, wenn also das Gefühl für den Mythus abstirbt und an seine Stelle der Anspruch der Religion auf historische Grundlagen tritt. Diesen absterbenden Mythus ergriff jetzt der neugeborene Genius der dionysischen Musik: Und in seiner Hand blühte er noch einmal, mit Farben, wie er sie noch nie gezeigt, mit einem Duft, der eine sehnsüchtige Ahnung einer metaphysischen Welt erregte. Nach diesem letzten Aufglänzen fällt er zusammen, seine Blätter werden welk, und bald haschen die spöttischen Lukiane des Altertums nach den von allen Winden fortgetragnen, entfärbten und verwüsteten Blumen. Durch die Tragödie kommt der Mythus zu seinem tiefsten Inhalt, seiner ausdrucksvollsten Form; noch einmal erhebt er sich, wie ein verwundeter Held, und der ganze Überfluß von Kraft, samt der weisheitsvollen Ruhe des Sterbenden, brennt in seinem Auge mit letztem, mächtigem Leuchten.

Was wolltest du, frevelnder Euripides, als du diesen Sterbenden noch einmal zu deinem Frondienste zu zwingen suchtest? Er starb unter deinen gewaltsamen Händen: und jetzt brauchtest du einen nachgemachten, maskierten Mythus, der sich wie der Affe des Herakles mit dem alten Prunke nur noch aufzuputzen wußte. Und wie dir der Mythus starb, so starb dir auch der Genius der Musik: Mochtest du auch mit gierigem Zugreifen alle Gärten der Musik plündern, auch so brachtest du es nur zu einer nachgemachten maskierten Musik. Und weil du Dionysus verlassen, so verließ dich auch Apollo; jage alle Leidenschaften von ihrem Lager auf und banne sie in deinen Kreis, spitze und feile dir für die Reden deiner Helden eine sophistische Dialektik zurecht – auch deine Helden haben nur nachgeahmte maskierte Leidenschaften und sprechen nur nachgeahmte maskierte Reden.

11

Die griechische Tragödie ist anders zugrunde gegangen als sämtliche älteren schwesterlichen Kunstgattungen: Sie starb durch Selbstmord, infolge eines unlösbaren Konfliktes, also tragisch, während jene alle in hohem Alter des schönsten und ruhigsten Todes verblichen sind. Wenn es nämlich einem glücklichen Naturzustande gemäß ist, mit schöner Nachkommenschaft und ohne Krampf vom Leben zu scheiden, so zeigt uns das Ende jener älteren Kunstgattungen einen solchen glücklichen Naturzustand: Sie tauchen langsam unter, und vor ihren ersterbenden Blicken steht schon ihr schönerer Nachwuchs und reckt mit mutiger Gebärde ungeduldig das Haupt. Mit dem Tode der griechischen Tragödie dagegen entstand eine ungeheure, überall tiefempfundene Leere; wie einmal griechische Schiffer zu Zeiten des Tiberius an einem einsamen Eiland den erschütternden Schrei hörten: „Der große Pan ist tot!", so klang es jetzt wie ein schmerzlicher Klageton durch die hellenische Welt: „Die Tragödie ist tot! Die Poesie selbst ist mit ihr verlorengegangen! Fort, fort mit euch verkümmerten, abgemagerten Epigonen! Fort in den Hades, damit ihr euch dort an den Brosamen der vormaligen Meister einmal satt essen könnt!"

Als aber nun doch noch eine neue Kunstgattung aufblühte, die in der Tragödie ihre Vorgängerin und Meisterin verehrte, da war mit Schrecken wahrzunehmen, daß sie allerdings die Züge ihrer Mutter trage, aber dieselben, die jene in ihrem langen Todeskampfe gezeigt hatte. Diesen

Todeskampf der Tragödie kämpfte Euripides; jene spätere Kunstgattung ist als neuere attische Komödie bekannt. In ihr lebte die *entartete* Gestalt der Tragödie fort, zum Denkmale ihres überaus mühseligen und gewaltsamen Hinscheidens.

Bei diesem Zusammenhange ist die leidenschaftliche Zuneigung begreiflich, welche die Dichter der neueren Komödie zu Euripides empfanden; so daß der Wunsch des Philemon nicht weiter befremdet, der sich sogleich aufhängen lassen mochte, nur um den Euripides in der Unterwelt aufsuchen zu können: wenn er nur überhaupt überzeugt sein dürfte, daß der Verstorbene auch jetzt noch bei Verstande sei. Will man aber in aller Kürze und ohne den Anspruch, damit etwas Erschöpfendes zu sagen, dasjenige bezeichnen, was Euripides mit *Menander* und *Philemon* gemein hat und was für jene so aufregend vorbildlich wirkte: so genügt es zu sagen, daß der Zuschauer von Euripides auf die Bühne gebracht worden ist. Wer erkannt hat, aus welchem Stoffe die prometheischen Tragiker vor Euripides ihre Helden formten und wie ferne ihnen die Absicht lag, die treue Maske der Wirklichkeit auf die Bühne zu bringen, der wird auch über die gänzlich abweichende Tendenz des Euripides im klaren sein. Der Mensch des alltäglichen Lebens drang durch ihn aus den Zuschauerräumen auf die Szene, der Spiegel, in dem früher nur die großen und kühnen Züge zum Ausdruck kamen, zeigte jetzt jene peinliche Treue, die auch die mißlungenen Linien der Natur gewissenhaft wiedergibt. Odysseus, der typische Hellene der älteren Kunst, sank jetzt unter den Händen der neueren Dichter zur Figur des *Graeculus* herab, der von jetzt ab als gutmütig-verschmitzter Hausklave im Mittelpunkte des dramatischen Interesses steht. Was Euripides sich in den aristophanischen „Fröschen" zum Verdient anrechnet, daß er die tragische Kunst durch seine Hausmittel von ihrer pomphaften Beleibtheit befreit habe, das ist vor allem an seinen tragischen

Helden zu spüren. Im wesentlichen sah und hörte jetzt der Zuschauer seinen Doppelgänger auf der euripideischen Bühne und freute sich, daß jener so gut zu reden verstehe. Bei dieser Freude blieb es aber nicht. Man lernte selbst bei Euripides sprechen, und dessen rühmt er sich selbst im Wettkampfe mit Äschylus: wie durch ihn jetzt das Volk kunstmäßig und mit den schlausten Sophistikationen zu beobachten, zu verhandeln und Folgerungen zu ziehen gelernt habe. Durch diesen Umschwung der öffentlichen Sprache hat er überhaupt die neuere Komödie möglich gemacht. Denn von jetzt ab war es kein Geheimnis mehr, wie und mit welchen Sentenzen die Alltäglichkeit sich auf der Bühne vertreten könne. Die bürgerliche Mittelmäßigkeit, auf die Euripides alle seine politischen Hoffnungen aufbaute, kam jetzt zu Wort, nachdem bis dahin in der Tragödie der Halbgott, in der Komödie der betrunkene Satyr oder der Halbmensch den Sprachcharakter bestimmt hatten. Und so hebt der aristophanische Euripides zu seinem Preise hervor, wie er das allgemeine, allbekannte, alltägliche Leben und Treiben dargestellt habe, über das ein jeder zu urteilen befähigt sei. Wenn jetzt die ganze Masse philosophiere, mit unerhörter Klugheit Land und Gut verwalte und ihre Prozesse führe, so sei dies sein Verdienst und der Erfolg der von ihm dem Volke eingeimpften Weisheit.

An eine derartige zubereitete und aufgeklärte Masse durfte sich jetzt die neuere Komödie wenden, für die Euripides gewissermaßen der Chorlehrer geworden ist; nur daß diesmal der Chor der Zuschauer eingeübt werden mußte. Sobald dieser in der euripideischen Tonart zu singen geübt war, erhob sich jene schachspielartige Gattung des Schauspiels, die neuere Komödie, mit ihrem fortwährenden Triumphe der Schlauheit und Verschlagenheit. Euripides aber – der Chorlehrer – wurde unaufhörlich gepriesen: Ja, man würde sich getötet haben, um noch mehr von ihm zu lernen, wenn man nicht gewußt hätte, daß die tragischen

Dichter ebenso tot seien wie die Tragödie. Mit ihr aber hatte der Hellene den Glauben an seine Unsterblichkeit aufgegeben, nicht nur den *Glauben an eine ideale Vergangenheit,* sondern auch den *Glauben an eine ideale Zukunft.* Das Wort aus der bekannten Grabschrift: „als Greis leichtsinnig und grillig" gilt auch vom greisen Hellenentume. Der Augenblick, der Witz, der Leichtsinn, die Laune sind seine höchsten Gottheiten; der fünfte Stand, der des Sklaven, kommt, wenigstens der Gesinnung nach, jetzt zur Herrschaft: Und wenn jetzt überhaupt noch von „griechischer Heiterkeit" die Rede sein darf, so ist es die Heiterkeit des Sklaven, der nichts Schweres zu verantworten, nichts Großes zu erstreben, nichts Vergangenes oder Zukünftiges höher zu schätzen weiß als das Gegenwärtige. Dieser *Schein* der „griechischen Heiterkeit" war es, der die tiefsinnigen und furchtbaren Naturen der vier ersten Jahrhunderte des Christentums so empörte: Ihnen erschien diese weibische Flucht vor dem Ernst und dem Schrecken, dieses feige Sichgenügenlassen am bequemen Genuß nicht nur verächtlich, sondern als die eigentlich antichristliche Gesinnung. Und ihrem Einfluß ist es zuzuschreiben, daß die durch Jahrhunderte fortlebende Anschauung des griechischen Altertums mit fast unüberwindlicher Zähigkeit jene blaßrote Heiterkeitsfarbe festhielt – als ob es nie ein sechstes Jahrhundert mit seiner Geburt der Tragödie, seinen Mysterien, seinen Pythagoras und Heraklit gegeben hätte, ja als ob die Kunstwerke der großen Zeit gar nicht vorhanden wären, die doch – jedes für sich – aus dem Boden einer solchen greisenhaften und sklavenmäßigen Daseinslust und Heiterkeit gar nicht zu erklären sind und auf eine völlig andere Weltbetrachtung als ihren Existenzgrund hinweisen.

Wenn zuletzt behauptet wurde, daß Euripides den Zuschauer auf die Bühne gebracht habe, um zugleich damit den Zuschauer zum Urteil über das Drama erst wahrhaft zu befähigen, so entsteht der Schein, als ob die ältere tragische

Kunst aus einem Mißverhältnis zum Zuschauer nicht herausgekommen sei: Und man möchte versucht sein, die radikale Tendenz des Euripides, ein entsprechendes Verhältnis zwischen Kunstwerk und Publikum zu erzielen, als einen Fortschritt über Sophokles hinaus zu preisen. Nun aber ist „Publikum" nur ein Wort und durchaus keine gleichartige und in sich verharrende Größe. Woher soll dem Künstler die Verpflichtung kommen, sich einer Kraft zu akkomodieren, die ihre Stärke nur in der Zahl hat? Und wenn er sich, seiner Begabung und seinen Absichten nach, über jeden einzelnen dieser Zuschauer erhaben fühlt, wie dürfte er vor dem gemeinsamen Ausdruck aller dieser ihm untergeordneten Kapazitäten mehr Achtung empfinden als vor dem relativ am höchsten begabten *einzelnen* Zuschauer? In Wahrheit hat kein griechischer Künstler mit größerer Verwegenheit und Selbstgenugsamkeit sein Publikum durch ein langes Leben hindurch behandelt als gerade Euripides: er, der selbst da noch, als die Masse sich ihm zu Füßen warf, in erhabenem Trotze seiner eigenen Tendenz öffentlich ins Gesicht schlug, derselben Tendenz, mit der er über die Masse gesiegt hatte. Wenn dieser Genius die geringste Ehrfurcht vor dem Pandämonium des Publikums gehabt hätte, so wäre er unter den Keulenschlägen seiner Mißerfolge längst vor der Mitte seiner Laufbahn zusammengebrochen. Wir sehen bei dieser Erwägung, daß unser Ausdruck, Euripides habe den Zuschauer auf die Bühne gebracht, um den Zuschauer wahrhaft urteilsfähig zu machen, nur ein provisorischer war und daß wir nach einem tieferen Verständnis seiner Tendenz zu suchen haben. Umgekehrt ist es ja allerseits bekannt, wie Äschylus und Sophokles zeit ihres Lebens, ja weit über dasselbe hinaus, im Vollbesitze der Volksgunst standen, wie also bei diesen Vorgängern des Euripides keineswegs von einem Mißverhältnis zwischen Kunstwerk und Publikum die Rede sein kann. Was trieb den reichbegabten und unablässig zum Schaffen gedrängten Künstler so ge-

waltsam von dem Wege ab, über dem die Sonne der größten Dichternamen und der unbewölkte Himmel der Volksgunst leuchteten? Welche sonderbare Rücksicht auf den
Zuschauer führte ihn dem Zuschauer entgegen? Wie konnte
er aus zu hoher Achtung vor seinem Publikum – sein Publikum mißachten? –

Euripides fühlte sich – das ist die Lösung des eben dargestellten Rätsels – als Dichter wohl über die Masse, nicht
aber über zwei seiner Zuschauer erhaben: Die Masse brachte
er auf die Bühne, jene beiden Zuschauer verehrte er als die
allein urteilsfähigen Richter und Meister aller seiner Kunst;
ihren Weisungen und Mahnungen folgend, übertrug er die
ganze Welt von Empfindungen, Leidenschaften und Erfahrungen, die bis jetzt auf den Zuschauerbänken als unsichtbarer Chor zu jeder Festvorstellung sich einstellten, in die
Seelen seiner Bühnenhelden, ihren Forderungen gab er nach,
als er für diese neuen Charaktere auch das neue Wort und
den neuen Ton suchte, in ihren Stimmungen *allein* hörte er
die gültigen Richtersprüche seines Schaffens ebenso wie die
siegverheißende Ermutigung, wenn er von der Justiz des
Publikums sich wieder einmal verurteilt sah.

Von diesen beiden Zuschauern ist der eine – Euripides
selbst, Euripides a l s D e n k e r, nicht als Dichter. Von ihm
könnte man sagen, daß die außerordentliche Fülle seines
kritischen Talentes, ähnlich wie bei *Lessing*, einen produktiv künstlerischen Nebentrieb, wenn nicht erzeugt, so doch
fortwährend befruchtet habe. Mit dieser Begabung, mit
aller Helligkeit und Behendigkeit seines kritischen Denkens
hatte Euripides im Theater gesessen und sich angestrengt,
an den Meisterwerken seiner großen Vorgänger wie an
dunkel gewordenen Gemälden Zug um Zug, Linie um Linie
wiederzuerkennen. Und hier nun war ihm begegnet, was
dem in die tieferen Geheimnisse der äschyleischen Tragödie
Eingeweihten nicht unerwartet sein darf: Er gewahrte etwas Inkommensurables in jedem Zug und in jeder Linie,

eine gewisse täuschende Bestimmtheit und zugleich eine rätselhafte Tiefe, ja Unendlichkeit des Hintergrundes. Die klarste Figur hat immer noch einen Kometenschweif an sich, der ins Ungewisse, Unaufhellbare zu deuten schien. Dasselbe Zwielicht lag über dem Bau des Dramas, zumal über der Bedeutung des Chors. Und wie zweifelhaft blieb ihm die Lösung der ethischen Probleme! Wie fragwürdig die Behandlung der Mythen! Wie ungleichmäßig die Verteilung von Glück und Unglück! Selbst in der Sprache der älteren Tragödie war ihm vieles anstößig, mindestens rätselhaft; besonders fand er zu viel Pomp für einfache Verhältnisse, zu viel Tropen und Ungeheuerlichkeiten für die Schlichtheit der Charaktere. So saß er, unruhig grübelnd, im Theater, und er, der Zuschauer, gestand sich, daß er seine großen Vorgänger nicht verstehe. Galt ihm aber der Verstand als die eigentliche Wurzel alles Genießens und Schaffens, so mußte er fragen und um sich schauen, ob denn niemand so denke wie er und sich gleichfalls jene Inkommensurabilität eingestehe. Aber die vielen und mit ihnen die besten einzelnen hatten nur ein mißtrauisches Lächeln für ihn; erklären aber konnte ihm keiner, warum seinen Bedenken und Einwendungen gegenüber die großen Meister doch im Rechte seien. Und in diesem qualvollen Zustande fand er den anderen Zuschauer, der die Tragödie nicht begriff und deshalb nicht achtete. Mit diesem im Bunde durfte er es wagen, aus seiner Vereinsamung heraus den ungeheuren Kampf gegen die Kunstwerke des Äschylus und Sophokles zu beginnen – nicht mit Streitschriften, sondern als dramatischer Dichter, der seine Vorstellung von der Tragödie der *überlieferten* entgegenstellt. –

12

Bevor wir diesen anderen Zuschauer bei Namen nennen, verharren wir hier einen Augenblick, um uns jenen früher geschilderten Eindruck des Zwiespältigen und Inkommensurablen im Wesen der äschyleischen Tragödie selbst ins Gedächtnis zurückzurufen. Denken wir an unsere eigene Befremdung dem Chore und dem tragischen Helden jener Tragödie gegenüber, die wir beide mit unseren Gewohnheiten ebensowenig wie mit der Überlieferung zu reimen wußten – bis wir jene Doppelheit selbst als Ursprung und Wesen der griechischen Tragödie wiederfanden, als den Ausdruck zweier ineinandergewobener Kunsttriebe, des Apollinischen und des Dionysischen.

Jenes ursprüngliche und allmächtige dionysische Element aus der Tragödie auszuscheiden und sie rein und neu auf undionysischer Kunst, Sitte und Weltbetrachtung aufzubauen – dies ist die jetzt in heller Beleuchtung sich uns enthüllende Tendenz des Euripides.

Euripides selbst hat am Abend seines Lebens die Frage nach dem Wert und der Bedeutung dieser Tendenz in einem Mythus seinen Zeitgenossen auf das nachdrücklichste vorgelegt. Darf überhaupt das Dionysische bestehn? Ist es nicht mit Gewalt aus dem hellenischen Boden auszurotten? Gewiß, sagt uns der Dichter, wenn es nur möglich wäre; aber der Gott Dionysus ist zu mächtig; der verständigste Gegner – wie Pentheus in den „Bacchen" – wird unvermutet von ihm bezaubert und läuft nachher mit dieser Verzauberung in sein Verhängnis. Das Urteil der beiden Greise Kadmus und Tiresias scheint auch das Urteil des greisen Dichters zu sein: das Nachdenken der klügsten einzelnen werfe jene alten Volkstraditionen, jene sich ewig fortpflanzende Verehrung des Dionysus nicht um, ja es zieme sich, solchen wunderbaren Kräften gegenüber mindestens eine diplomatisch vorsichtige Teilnahme zu zeigen: wobei es aber immer noch möglich sei, daß der Gott an einer so lauen Beteiligung Anstoß nehme und den Diplomaten – wie hier den Kadmus – schließlich in einen Drachen verwandle. Dies sagt uns ein Dichter, der mit heroischer Kraft ein langes Leben hindurch dem Dionysus widerstanden hat – um am Ende desselben mit einer Glorifikation seines Gegners und einem Selbstmorde seine Laufbahn zu schließen, einem Schwindelnden gleich, der, um nur dem entsetzlichen, nicht mehr erträglichen Wirbel zu entgehn, sich vom Turme herunterstürzt. Jene Tragödie ist ein Protest gegen die Ausführbarkeit seiner Tendenz; ach, und sie war bereits ausgeführt! Das Wunderbare war geschehn: Als der Dichter widerrief, hatte bereits seine Tendenz gesiegt. Dionysus war bereits von der tragischen Bühne verscheucht, und zwar durch eine aus Euripides redende dämonische Macht. Auch Euripides war in gewissem Sinne nur Maske: Die Gottheit, die aus ihm redete, war nicht Dionysus, auch nicht Apollo, sondern ein ganz neugeborner Dämon, genannt S o k r a t e s. Dies ist der neue Gegensatz: das Dionysische und das Sokratische, und das Kunstwerk der griechischen Tragödie ging an ihm zugrunde. Mag nun auch Euripides uns durch seinen Widerruf zu trösten suchen, es gelingt ihm nicht: Der herrlichste Tempel liegt in Trümmern; was nützt uns die Wehklage des Zerstörers und sein Geständnis, daß es der schönste aller Tempel gewesen sei? Und selbst daß Euripides zur Strafe von den Kunstrichtern aller Zeiten in einen Drachen verwandelt worden ist – wen möchte diese erbärmliche Kompensation befriedigen?

Nähern wir uns jetzt jener s o k r a t i s c h e n Tendenz, mit der Euripides die äschyleische Tragödie bekämpfte und besiegte.

Welches Ziel – so müssen wir uns jetzt fragen – konnte die euripideische Absicht, das Drama allein auf das Undionysische zu gründen, in der höchsten Idealität ihrer Durchführung überhaupt haben? Welche Form des Dramas blieb noch übrig, wenn es nicht aus dem Geburtsschoße der Musik, in jenem geheimnisvollen Zwielicht des Dionysischen geboren werden sollte? Allein das dramatisierte Epos: in welchem apollinischen Kunstgebiete nun freilich die tragische Wirkung unerreichbar ist. Es kommt hierbei nicht auf den Inhalt der dargestellten Ereignisse an; ja ich möchte behaupten, daß es *Goethe* in seiner projektierten „Nausikaa" unmöglich gewesen sein würde, den Selbstmord jenes idyllischen Wesens – der den fünften Akt ausfüllen sollte – tragisch ergreifend zu machen; so ungemein ist die Gewalt des Episch-Apollinischen, daß es die schrekkensvollsten Dinge mit jener Lust am Scheine und der Erlösung durch den Schein vor unseren Augen verzaubert. Der Dichter des dramatisierten Epos kann ebensowenig wie der epische Rhapsode mit seinen Bildern völlig verschmelzen: Er ist immer noch ruhig unbewegt, aus weiten Augen blickende Anschauung, die die Bilder v o r sich sieht. Der Schauspieler in diesem dramatisierten Epos bleibt im tiefsten Grunde immer noch Rhapsode; die Weihe des inneren Träumens liegt auf allen seinen Aktionen, so daß er niemals ganz Schauspieler ist.

Wie verhält sich nun diesem Ideal des apollinischen Dramas gegenüber das euripideische Stück? Wie zu dem feierlichen Rhapsoden der alten Zeit jener jüngere, der sein Wesen im platonischen „Ion" also beschreibt: „Wenn ich etwas Trauriges sage, füllen sich meine Augen mit Tränen; ist aber das, was ich sage, schrecklich und entsetzlich, dann stehen die Haare meines Hauptes vor Schauder zu Berge und mein Herz klopft." Hier merken wir nichts mehr von jenem epischen Verlorensein im Scheine, von der affektlosen Kühle des wahren Schauspielers, der gerade in seiner höchsten Tätigkeit ganz *Schein* und *Lust am Scheine* ist. Euripides ist der Schauspieler mit dem klopfenden Herzen, mit den zu Berge stehenden Haaren; als sokratischer Denker entwirft er den Plan, als leidenschaftlicher Schauspieler führt er ihn aus. Reiner Künstler ist er weder im Entwerfen noch im Ausführen. So ist das euripideische Drama ein zugleich kühles und feuriges Ding, zum Erstarren und zum Verbrennen gleich befähigt; es ist ihm unmöglich, die apollinische Wirkung des Epos zu erreichen, während es sich andererseits von den dionysischen Elementen möglichst gelöst hat und jetzt, um überhaupt zu wirken, neue Erregungsmittel braucht, die nun nicht mehr innerhalb der beiden einzigen Kunsttriebe, des apollinischen und des dionysischen, liegen können. Diese Erregungsmittel sind kühle paradoxe G e d a n k e n an Stelle der apollinischen Anschauungen – und feurige A f f e k t e an Stelle der dionysischen Entzückungen, und zwar höchst realistisch nachgemachte, keineswegs in den Äther der Kunst getauchte Gedanken und Affekte.

Haben wir demnach so viel erkannt, daß es Euripides überhaupt nicht gelungen ist, das Drama allein auf das Apollinische zu gründen, daß sich vielmehr seine undionysische Tendenz in eine naturalistische und unkünstlerische verirrt hat, so werden wir jetzt dem Wesen des ä s t h e t i s c h e n S o k r a t i s m u s schon nähertreten dürfen; dessen oberstes Gesetz ungefähr so lautet: „Alles muß verständig sein, um schön zu sein"; als Parallelsatz zu dem sokratischen: „Nur der Wissende ist tugendhaft." Mit diesem Kanon in der Hand maß Euripides alles einzelne und rektifizierte es gemäß diesem Prinzip: die Sprache, die Charaktere, den dramaturgischen Aufbau, die Chormusik. Was wir im Vergleich mit der sophokleischen Tragödie so häufig dem Euripides als dichterischen Mangel und Rückschritt anzurechnen pflegen, das ist zumeist das Produkt jenes eindringenden kritischen Prozesses, jener verwegenen Verständigkeit. Der euripideische P r o l o g diene uns als Beispiel für die Produktivität jener rationalistischen Methode. Nichts kann unserer Bühnentechnik widerstrebender sein als der Prolog im Drama des Euripides. Daß eine einzelne auftretende Person am Eingange des Stückes erzählt, wer sie sei, was der Handlung vorangehe, was bis jetzt ge-

schehen, ja was im Verlaufe des Stückes geschehen werde,
das würde ein moderner Theaterdichter als ein mutwilliges
und nicht zu verzeihendes Verzichtleisten auf den Effekt
der Spannung bezeichnen. Man weiß ja alles, was geschehen wird; wer wird abwarten wollen, daß dies wirklich geschieht? – da ja hier keinesfalls das aufregende Verhältnis eines wahrsagenden Traumes zu einer später ein-
tretenden Wirklichkeit stattfindet. Ganz anders reflektierte
Euripides. Die Wirkung der Tragödie beruhte niemals auf
der epischen Spannung, auf der anreizenden Ungewißheit,
was sich jetzt und nachher ereignen werde: vielmehr auf
jenen großen rhetorisch-lyrischen Szenen, in denen die
Leidenschaft und die Dialektik des Haupthelden zu einem
breiten und mächtigen Strome anschwoll. Zum Pathos,
nicht zur Handlung bereitete alles vor: Und was nicht
zum Pathos vorbereitete, das galt als verwerflich. Das
aber, was die genußvolle Hingabe an solche Szenen am
stärksten erschwert, ist ein dem Zuhörer fehlendes Glied,
eine Lücke im Gewebe der Vorgeschichte; solange der Zuhörer noch ausrechnen muß, was diese und jene Person be-
deute, was dieser und jener Konflikt der Neigungen und
Absichten für Voraussetzungen habe, ist seine volle Versenkung in das Leiden und Tun der Hauptpersonen, ist
das atemlose Mitleiden und Mitfürchten noch nicht möglich. Die äschyleisch-sophokleische Tragödie verwandte die
geistreichsten Kunstmittel, um dem Zuschauer in den ersten
Szenen gewissermaßen zufällig alle jene zum Verständnis
notwendigen Fäden in die Hand zu geben: ein Zug, in
dem sich jene edle Künstlerschaft bewährt, die das notwendige Formelle gleichsam maskiert und als Zufälliges
erscheinen läßt. Immerhin aber glaubte Euripides zu be-
merken, daß während jener ersten Szenen der Zuschauer
in eigentümlicher Unruhe sei, um das Rechenexempel der
Vorgeschichte auszurechnen, so daß die dichterischen Schön-
heiten und das Pathos der Exposition für ihre verloren-

ginge. Deshalb stellte er den Prolog noch vor die Exposition und legte ihn einer Person in den Mund, der man Vertrauen schenken durfte: Eine Gottheit mußte häufig den Verlauf der Tragödie dem Publikum gewissermaßen garantieren und jeden Zweifel an der Realität des Mythus nehmen: in ähnlicher Weise, wie *Descartes* die Realität der empirischen Welt nur durch die Appellation an die Wahrhaftigkeit Gottes und seine Unfähigkeit zur Lüge zu beweisen vermochte. Dieselbe göttliche Wahrhaftigkeit braucht Euripides noch einmal am Schlusse seines Dramas, um die Zukunft seiner Helden dem Publikum sicherzustellen; dies ist die Aufgabe des berüchtigten Deus ex machina. Zwischen der epischen Vorschau und Hinausschau liegt die dramatisch-lyrische Gegenwart, das eigentliche „Drama".

So ist Euripides als Dichter vor allem der Widerhall seiner bewußten Erkenntnisse; und gerade dies verleiht ihm eine so denkwürdige Stellung in der Geschichte der griechischen Kunst. Ihm muß im Hinblick auf sein kritisch-produktives Schaffen oft zumute gewesen sein, als sollte er den Anfang der Schrift des Anaxagoras für das Drama lebendig machen, deren erste Worte lauten: „Im Anfang war alles beisammen; da kam der Verstand und schuf Ordnung." und wenn Anaxagoras mit seinem „Nous" unter den Philosophen wie der erste Nüchterne unter lauter Trunkenen erschien, so mag auch Euripides sein Verhältnis zu den anderen Dichtern der Tragödie unter einem ähnlichen Bilde begriffen haben. Solange der einzige Ordner und Walter des Alls, der „Nous" noch vom künstlerischen Schaffen ausgeschlossen war, war noch alles in einem chaotischen Urbrei beisammen; so mußte Euripides urteilen, so mußte er die „trunkenen" Dichter als der erste „Nüchterne" verurteilen. Das, was Sophokles von Äschylus gesagt hat, er tue das Rechte, obschon unbewußt, war gewiß nicht im Sinne des Euripides gesagt: der nur so viel hätte gelten lassen, daß Äschylus, w e i l er unbewußt schaffe, das Unrechte schaffe. Auch der göttliche Plato redet vom schöpferischen Vermögen des Dichters, insofern dies nicht die bewußte Einsicht ist, zuallermeist nur ironisch und stellt es der Begabung des Wahrsagers und Traumdeuters gleich; sei doch der Dichter nicht eher fähig zu dichten, als bis er bewußtlos geworden sei und kein Verstand mehr in ihm wohne. Euripides unternahm es, wie es auch Plato unternommen hat, das Gegenstück des „unverständigen" Dichters der Welt zu zeigen; sein ästhetischer Grundsatz: „Alles muß bewußt sein, um schön zu sein" ist, wie ich sagte, der Parallelsatz zu dem sokratischen: „Alles muß bewußt sein, um gut zu sein." Demgemäß darf uns Euripides als der Dichter des ästhetischen Sokratismus gelten. Sokrates aber war jener z w e i t e Z u s c h a u e r, der die ältere Tragödie nicht begriff und deshalb nicht achtete; mit ihm im Bunde wagte Euripides, der Herold eines neuen Kunstschaffens zu sein. Wenn an diesem die ältere Tragödie zugrunde ging, so ist also der ästhetische Sokratismus das mörderische Prinzip: Insofern aber der Kampf gegen das Dionysische der älteren Kunst gerichtet war, erkennen wir in Sokrates den Gegner des Dionysus, den neuen Orpheus, der sich gegen Dionysus erhebt und, obschon bestimmt, von den Mänaden des athenischen Gerichtshofes zerrissen zu werden, doch den übermächtigen Gott selbst zur Flucht nötigt: welcher, wie damals, als er vor dem Edonerkönig Lykurg floh, sich in die Tiefen des Meeres rettete, nämlich in die mystischen Fluten eines die ganze Welt allmählich überziehenden Geheimkultus.

13

Daß Sokrates eine enge Beziehung der Tendenz zu Euripides habe, entging dem gleichzeitigen Altertume nicht; und der beredteste Ausdruck für diesen glücklichen Spürsinn ist jene in Athen umlaufende Sage, Sokrates pflege dem Euripides im Dichten zu helfen. Beide Namen wurden von den Anhängern der „guten alten Zeit" in einem Atem genannt, wenn es galt, die Volksverführer der Gegenwart aufzuzählen: von deren Einflusse es herrührte, daß die alte marathonische vierschrötige Tüchtigkeit an Leib und Seele immer mehr einer zweifelhaften Aufklärung, bei fortschreitender Verkümmerung der leiblichen und seelischen Kräfte, zum Opfer falle. In dieser Tonart, halb mit Entrüstung, halb mit Verachtung, pflegt die aristophanische Komödie von jenen Männern zu reden, zum Schrecken der Neueren, welche zwar Euripides gerne preisgeben, aber sich nicht genug darüber wundern können, daß Sokrates als der erste und oberste Sophist, als der Spiegel und Inbegriff aller sophistischen Bestrebungen bei Aristophanes erscheine: wobei es einzig einen Trost gewährt, den Aristophanes selbst als einen lüderlich lügenhaften Alcibiades der Poesie an den Pranger zu stellen. Ohne an dieser Stelle die tiefen Instinkte des Aristophanes gegen solche Angriffe in Schutz zu nehmen, fahre ich fort, die enge Zusammengehörigkeit des Sokrates und des Euripides aus der antiken Empfindung heraus zu erweisen; in welchem Sinne namentlich daran zu erinnern ist, daß Sokrates als Gegner der tragischen Kunst sich des Besuchs der Tragödie enthielt und nur, wenn ein neues Stück des Euripides aufgeführt wurde, sich unter den Zuschauern einstellte. Am berühmtesten ist aber die nahe Zusammenstellung beider Namen in dem delphischen Orakelspruche, welcher Sokrates als den Weisesten unter den Menschen bezeichnet, zugleich aber das Urteil abgab, daß dem Euripides der zweite Preis im Wettkampfe der Weisheit gebühre.

Als der dritte in dieser Stufenleiter war Sophokles genannt; er, der sich gegen Äschylus rühmen durfte, er tue das Rechte, und zwar weil er w i s s e, was das Rechte sei. Offenbar ist gerade der Grad der Helligkeit dieses Wissens dasjenige, was jene drei Männer gemeinsam als die drei „Wissenden" ihrer Zeit auszeichnet.

Das schärfste Wort aber für jene neue und unerhörte Hochschätzung des Wissens und der Einsicht sprach Sokrates, als er sich als den einzigen vorfand, der sich eingestehe, nichts zu wissen; während er, auf seiner kritischen Wanderung durch Athen, bei den größten Staatsmännern, Rednern, Dichtern und Künstlern vorsprechend, überall die *Einbildung* des Wissens antraf. Mit Staunen erkannte er, daß alle jene Berühmtheiten selbst über ihren Beruf ohne richtige und sichere Einsicht seien und denselben nur aus Instinkt trieben. „Nur aus Instinkt": Mit diesem Ausdruck berühren wir Herz und Mittelpunkt der sokratischen Tendenz. Mit ihm verurteilt der Sokratismus ebenso die bestehende Kunst wie die bestehende Ethik; wohin er seine prüfenden Blicke richtet, sieht er den Mangel der Einsicht und die Macht des Wahns und schließt aus diesem Mangel auf die innerliche Verkehrtheit und Verwerflichkeit des Vorhandenen. Von diesem einen Punkte aus glaubte Sokrates das Dasein korrigieren zu müssen: er, der einzelne, tritt mit der Miene der Nichtachtung und der Überlegenheit, als der Vorläufer einer ganz anders gearteten Kultur, Kunst und Moral, in eine Welt hinein, deren Zipfel mit Ehrfurcht zu erhaschen wir uns zum größten Glücke rechnen würden.

Dies ist die ungeheuere Bedenklichkeit, die uns jedesmal angesichts des Sokrates ergreift und die uns immer und immer wieder anreizt, Sinn und Absicht dieser fragwürdigsten Erscheinung des Altertums zu erkennen. Wer ist das, der es wagen darf, als ein einzelner das griechische Wesen zu verneinen, das als Homer, Pindar und Äschylus, als Phidias, als Perikles, als Pythia und Dionysus, als der tiefste Abgrund und die höchste Höhe unserer staunenden Anbetung gewiß ist? Welch dämonische Kraft ist es, die diesen Zaubertrank in den Staub zu schütten sich erkühnen darf? Welcher Halbgott ist es, dem der Geisterchor der Edelsten der Menschheit zurufen muß: „Weh! Weh! Du hast sie zerstört, die schöne Welt, mit mächtiger Faust; sie stürzt, sie zerfällt!"

Einen Schlüssel zu dem Wesen des Sokrates bietet uns jene wunderbare Erscheinung, die als „Dämonion des Sokrates" bezeichnet wird. In besonderen Lagen, in denen sein ungeheurer Verstand ins Schwanken geriet, gewann er einen festen Anhalt durch eine in solchen Momenten sich äußernde göttliche Stimme. Diese Stimme mahnt, wenn sie kommt, immer ab. Die instinktive Weisheit zeigt sich bei dieser gänzlich abnormen Natur nur, um dem bewußten Erkennen hier und da hindernd entgegenzutreten. Während doch bei allen produktiven Menschen der Instinkt gerade die schöpferisch-affirmative Kraft ist und das Bewußtsein kritisch und abmahnend sich gebärdet: wird bei Sokrates der Instinkt zum Kritiker, das Bewußtsein zum Schöpfer – eine wahre Monstrosität *per defectum!* Und zwar nehmen wir hier einen monströsen *Defectus* jeder mystischen Anlage wahr, so daß Sokrates als der spezifische Nichtmystiker zu bezeichnen wäre, in dem die logische Natur durch die Superfötation ebenso exzessiv entwickelt ist wie im Mystiker jene instinktive Weisheit. Andrerseits aber war es jenem in Sokrates erscheinenden logischen Triebe völlig versagt, sich gegen sich selbst zu kehren; in diesem fessellosen Dahinströmen zeigt er eine Naturgewalt, wie wir sie nur bei den allergrößten instinktiven Kräften zu unserer schaudervollen Überraschung antreffen. Wer nur einen Hauch von jener göttlichen Naivität und Sicherheit der sokratischen Lebensrichtung aus den platonischen Schriften gespürt hat, der fühlt auch, wie das ungeheure Triebrad des logischen Sokratismus gleichsam hinter Sokrates in Bewegung ist und wie dies durch Sokrates wie durch einen Schatten hindurch angeschaut werden muß. Daß er aber selbst von diesem Verhältnis eine Ahnung hatte, das drückt sich in dem würdevollen Ernste aus, mit dem er seine göttliche Berufung überall und noch vor seinen Richtern geltend machte. Ihn darin zu widerlegen war im Grunde ebenso unmöglich, als seinen die Instinkte auflösenden Einfluß gutzuheißen. Bei diesem unlösbaren Konflikte war, als er einmal vor das Forum des griechischen Staates gezogen war, nur eine einzige Form der Verurteilung geboten: die Verbannung; als etwas durchaus Rätselhaftes, Unrubrizierbares, Unaufklärliches hätte man ihn über die Grenze weisen dürfen, ohne daß irgendeine Nachwelt im Recht gewesen wäre, die Athener einer schmählichen Tat zu zeihen. Daß aber *der Tod* und *nicht nur die Verbannung* über ihn ausgesprochen wurde, das scheint Sokrates selbst, mit völliger Klarheit und ohne den natürlichen Schauder vor dem Tode, durchgesetzt zu haben: Er ging in den Tod, mit jener Ruhe, mit der er nach Platos Schilderung als der letzte Zecher im frühen Tagesgrauen das Symposion verläßt, um einen neuen Tag zu beginnen; indes hinter ihm, auf den Bänken und auf der Erde, die verschlafenen Tischgenossen zurückbleiben, um von Sokrates, dem wahrhaften Erotiker, zu träumen. Der sterbende Sokrates wurde das neue, noch nie sonst geschaute Ideal der edlen griechischen Jugend: Vor allem hat sich der typische hellenische Jüngling, Plato, mit aller inbrünstigen Hingebung seiner Schwärmerseele vor diesem Bilde niedergeworfen.

14

Denken wir uns jetzt das eine große Zyklopenauge des Sokrates auf die Tragödie gewandt, jenes Auge, in dem nie der holde Wahnsinn künstlerischer Begeisterung geglüht hat – denken wir uns, wie es jenem Auge versagt war, in die dionysischen Abgründe mit Wohlgefallen zu schauen –:

Was eigentlich mußte es in der „erhabenen und hochgepriesenen" tragischen Kunst, wie sie Plato nennt, erblicken? Etwas recht Unvernünftiges, mit Ursachen, die ohne Wirkungen, und mit Wirkungen, die ohne Ursachen zu sein schienen, dazu das Ganze so bunt und mannichfaltig, daß es einer besonnenen Gemütsart widerstreben müsse, für reizbare und empfindliche Seelen aber ein gefährlicher Zunder sei. Wir wissen, welche einzige Gattung der Dichtkunst von ihm begriffen wurde: die äsopische Fabel; und dies geschah gewiß mit jener lächelnden Anbequemung, mit welcher der ehrliche gute *Gellert* in der Fabel von der Biene und der Henne das Lob der Poesie singt:

> Du siehst an mir, wozu sie nützt,
> dem, der nicht viel Verstand besitzt,
> die Wahrheit durch ein Bild zu sagen.

Nun aber schien Sokrates die tragische Kunst nicht einmal „die Wahrheit zu sagen": abgesehen davon, daß sie sich an den wendet, der „nicht viel Verstand besitzt", also nicht an den Philosophen: ein zweifacher Grund, von ihr fernzubleiben. Wie Plato rechnete er sie zu den schmeichlerischen Künsten, die nur das Angenehme, nicht das Nützliche darstellen, und verlangte deshalb bei seinen Jüngern Enthaltsamkeit und strenge Absonderung von solchen unphilosophischen Reizungen; mit solchem Erfolge, daß der jugendliche Tragödiendichter *Plato* zuallererst seine Dichtungen verbrannte, um Schüler des Sokrates werden zu können. Wo aber unbesiegbare Anlagen gegen die sokratischen Maximen ankämpften, war die Kraft derselben, samt der Wucht jenes ungeheuren Charakters, immer noch groß genug, um die Poesie selbst in neue und bis dahin unbekannte Stellungen zu drängen.

Ein Beispiel dafür ist der eben genannte Plato: Er, der in der Verurteilung der Tragödie und der Kunst überhaupt gewiß nicht hinter dem naiven Zynismus seines Meisters zurückgeblieben ist, hat doch aus voller künstlerischer Notwendigkeit eine Kunstform schaffen müssen, die gerade mit den vorhandenen und von ihm abgewiesenen Kunstformen innerlich verwandt ist. Der Hauptvorwurf, den Plato der älteren Kunst zu machen hatte – daß sie Nachahmung eines Scheinbildes ist, also noch einer niedrigeren Sphäre, als die empirische Welt ist, angehöre –, durfte vor allem nicht gegen das neue Kunstwerk gerichtet werden: Und so sehen wir denn Plato bestrebt, über die Wirklichkeit hinauszugehn und die jener Pseudowirklichkeit zugrunde liegende Idee darzustellen. Damit aber war der Denker Plato auf einem Umwege ebendahin gelangt, wo er als Dichter stets heimisch gewesen war und von wo aus Sophokles und die ganze ältere Kunst feierlich gegen jenen Vorwurf protestierten. Wenn die Tragödie alle früheren Kunstgattungen in sich aufgesaugt hatte, so darf dasselbe wiederum in einem exzentrischen Sinne vom platonischen Dialoge gelten, der, durch Mischung aller vorhandenen Stile und Formen erzeugt, zwischen Erzählung, Lyrik, Drama, zwischen Prosa und Poesie in der Mitte schwebt und damit auch das strenge ältere Gesetz der einheitlichen sprachlichen Form durchbrochen hat; auf welchem Wege die zynischen Schriftsteller noch weiter gegangen sind, die in der größten Buntscheckigkeit des Stils, im Hinundherschwanken zwischen prosaischen und metrischen Formen, auch das literarische Bild des „rasenden Sokrates“, den sie im Leben darzustellen pflegten, erreicht haben. Der platonische Dialog war gleichsam der Kahn, auf dem sich die schiffbrüchige ältere Poesie samt allen ihren Kindern rettete: Auf einen engen Raum zusammengedrängt und dem einen Steuermann Sokrates ängstlich untertänig, fuhren sie jetzt in eine neue Welt hinein, die an dem phantastischen Bilde dieses Aufzugs sich nie satt sehen konnte. Wirklich hat für die ganze Nachwelt Plato das Vorbild einer neuen Kunstform gegeben, das Vorbild des R o m a n s : der als die unendlich gesteigerte äsopische Fabel zu bezeichnen ist, in der die Poesie in einer ähnlichen Rangordnung zur dialektischen Philosophie lebt, wie viele Jahrhunderte hindurch dieselbe Philosophie zur Theologie: nämlich als *Ancilla* (Dienerin). Dies war die neue Stellung der Poesie, in die sie Plato unter dem Drucke des dämonischen Sokrates drängte.

Hier überwächst der p h i l o s o p h i s c h e G e d a n k e die Kunst und zwingt sie zu einem engen Sichanklammern an den Stamm der Dialektik. In dem logischen Schematismus hat sich die a p o l l i n i c h e Tendenz verpuppt: wie wir bei Euripides etwas Entsprechendes und außerdem eine Übersetzung des D i o n y s i s c h e n in den naturalistischen Affekt wahrzunehmen hatten. Sokrates, der dialektische Held im platonischen Drama, erinnert uns an die verwandte Natur des euripideischen Helden, der durch Grund und Gegengrund seine Handlungen verteidigen muß und dadurch so oft in Gefahr gerät, unser tragisches Mitleiden einzubüßen: Denn wer vermöchte das o p t i m i s t i s c h e Element im Wesen der Dialektik zu verkennen, das in jedem Schlusse sein Jubelfest feiert und allein in kühler Helle und Bewußtheit atmen kann: das optimistische Element, das, einmal in die Tragödie eingedrungen, ihre dionysischen Regionen allmählich überwuchern und sie notwendig zur Selbstvernichtung treiben muß – bis zum Todessprunge ins bürgerliche Schauspiel. Man vergegenwärtige sich nur die Konsequenzen der sokratischen Sätze: „Tugend ist Wissen; es wird nur gesündigt aus Unwissenheit; der Tugendhafte ist der Glückliche": In diesen drei Grundformen des Optimismus liegt der Tod der Tragödie. Denn jetzt *muß* der tugendhafte Held *Dialektiker* sein, jetzt muß zwischen Tugend und Wissen, Glaube und Moral ein notwendiger sichtbarer Verband sein, jetzt ist die transzendentale Gerechtigkeitslösung des Äschylus zu dem flachen und frechen Prinzip der „poetischen Gerechtigkeit" mit seinem üblichen Deus ex machina erniedrigt.

Wie erscheint dieser neuen sokratisch-optimistischen Bühnenwelt gegenüber jetzt der C h o r und überhaupt der ganze musikalisch-dionysische Untergrund der Tragödie? Als etwas Zufälliges, als eine auch wohl zu missende Reminiszenz an den Ursprung der Tragödie; während wir doch eingesehen haben, daß der Chor nur als U r s a c h e der Tragödie und des Tragischen überhaupt verstanden werden kann. Schon bei Sophokles zeigt sich jene Verlegenheit in betreff des Chors – ein wichtiges Zeichen, daß schon bei ihm der dionysische Boden der Tragödie zu zerbröckeln beginnt. Er wagt es nicht mehr, dem Chor den Hauptanteil der Wirkung anzuvertrauen, sondern schränkt sein Bereich dermaßen ein, daß er jetzt fast den Schauspielern koordiniert erscheint, gleich als ob er aus der Orchestra in die Szene hineingehoben würde: womit freilich sein Wesen völlig zerstört ist, mag auch Aristoteles gerade dieser Auffassung des Chors seine Bestimmung geben. Jene Verrückung der Chorposition, welche Sophokles jedenfalls durch seine Praxis und, der Überlieferung nach, sogar durch seine Schrift anempfohlen hat, ist der erste Schritt zur V e r n i c h t u n g des Chors, deren Phasen in *Euripides, Agathon* und *der neueren Komödie* mit erschreckender Schnelligkeit aufeinanderfolgen. Die optimistische Dialektik treibt mit der Geißel ihrer Syllogismen die M u s i k aus der Tragödie: das heißt, sie zerstört das Wesen der Tragödie, welches sich einzig als eine Manifestation und Verbildlichung dionysischer Zustände, als sichtbare Symbolisierung der Musik, als die Traumwelt eines dionysischen Rausches interpretieren läßt.

Haben wir also sogar eine schon vor Sokrates wirkende antidionysische Tendenz anzunehmen, die nur in ihm einen unerhört großartigen Ausdruck gewinnt: so müssen wir nicht vor der Frage zurückschrecken, wohin denn eine solche Erscheinung wie die des Sokrates deute: die wir doch nicht imstande sind, angesichts der platonischen Dialoge, als eine nur auflösende negative Macht zu begreifen. Und so gewiß die allernächste Wirkung des sokratischen Triebes auf eine Zersetzung der dionysischen Tragödie ausging, so zwingt uns eine tiefsinnige Lebenserfahrung des Sokrates selbst zu der Frage, ob denn zwischen dem Sokratismus und der Kunst n o t w e n d i g nur ein antipodisches Verhältnis bestehe und ob die Geburt eines „künstlerischen Sokrates" überhaupt etwas in sich Widerspruchsvolles sei.

Jener despotische Logiker hatte nämlich hier und da der Kunst gegenüber das Gefühl einer Lücke, einer Leere, eines halben Vorwurfs, einer vielleicht versäumten Pflicht. Öfters kam ihm, wie er im Gefängnis seinen Freunden erzählt, ein und dieselbe Traumerscheinung, die immer dasselbe sagte: „Sokrates, treibe Musik!" Er beruhigte sich bis zu seinen letzten Tagen mit der Meinung, sein Philosophieren sei die höchste Musenkunst, und glaubt nicht recht, daß eine Gottheit ihn an jene „gemeine, populäre Musik" erinnern werde. Endlich im Gefängnis versteht er sich, um sein Gewissen gänzlich zu entlasten, auch dazu, jene von ihm geringgeachtete Musik zu treiben. Und in dieser Gesinnung dichtet er ein Proömium auf Apollo und bringt einige äsopische Fabeln in Verse. Das war etwas der dämonischen warnenden Stimme Ähnliches, was ihn zu diesen Übungen drängte, es war seine apollinische Einsicht, daß er wie ein Barbarenkönig ein edles Götterbild nicht verstehe und in der Gefahr sei, sich an einer Gottheit zu versündigen – durch sein Nichtverstehn. Jenes Wort der sokratischen Traumerscheinung ist das einzige Zeichen der Bedenklichkeit über die Grenzen der logischen Natur: Vielleicht – so mußte er sich fragen – ist das mir Nichtverständliche doch nicht auch sofort das Unverständige? Vielleicht gibt es ein Reich der Weisheit, aus dem der Logiker verbannt ist? Vielleicht ist die *Kunst* sogar ein *notwendiges Korrelativum* und *Supplement der Wissenschaft?*

15

Im Sinne dieser letzten ahnungsvollen Fragen muß nun ausgesprochen werden, wie der Einfluß des Sokrates, bis auf diesen Moment hin, ja in alle Zukunft hinaus, sich, gleich einem in der Abendsonne immer größer werdenden Schatten, über die Nachwelt hin ausgebreitet hat, wie derselbe zur Neuschaffung der K u n s t – und zwar der Kunst im bereits metaphysischen, weitesten und tiefsten Sinne – immer wieder nötigt und, bei seiner *eignen Unendlichkeit*, auch *deren Unendlichkeit* verbürgt.

Bevor dies erkannt werden konnte, bevor die innerste Abhängigkeit jeder Kunst von den Griechen, den Griechen von Homer bis auf Sokrates, überzeugend dargetan war, mußte es uns mit diesen Griechen ergehen wie den Athenern mit Sokrates. Fast jede Zeit und Bildungsstufe hat einmal sich mit tiefem Mißmute von den Griechen zu befreien gesucht, weil angesichts derselben alles Selbstgeleistete, scheinbar völlig Originelle und recht aufrichtig Bewunderte plötzlich Farbe und Leben zu verlieren schien und zur mißlungenen Kopie, ja zur Karikatur zusammenschrumpfte. Und so bricht immer von neuem einmal der herzliche Ingrimm gegen jenes anmaßliche Völkchen hervor, das sich erkühnte, alles Nichteinheimische für alle Zeiten als „barbarisch" zu bezeichnen: Wer sind jene, fragt man sich, die, obschon sie nur einen ephemeren historischen Glanz, nur lächerlich engbegrenzte Institutionen, nur eine zweifelhafte Tüchtigkeit der Sitte aufzuweisen haben und sogar mit häßlichen Lastern gekennzeichnet sind, doch die Würde und Sonderstellung unter den Völkern in Anspruch nehmen, die dem Genius unter der Masse zukommt? Leider war man nicht so glücklich, den Schierlingsbecher zu finden, mit dem ein solches Wesen einfach abgetan werden konnte: Denn alles Gift, das Neid, Verleumdung und Ingrimm in sich erzeugten, reichte nicht hin, jene selbstgenugsame Herrlichkeit zu vernichten. Und so schämt und fürchtet man sich vor den Griechen; es sei denn, daß einer die Wahrheit über alles achte und so sich auch diese Wahrheit einzugestehn wage, daß die Griechen unsere und jegliche Kultur als Wagenlenker in den Händen haben, daß aber fast immer Wagen und Pferde von zu geringem Stoffe und der Glorie ihrer Führer unangemessen sind, die dann es für einen Scherz erachten, ein solches Gespann in den Abgrund zu jagen: über den sie selbst, mit dem Sprunge des Achilles, hinwegsetzen.

Um die Würde einer solchen Führerstellung auch für Sokrates zu erweisen, genügt es, in ihm den Typus einer vor ihm unerhörten Daseinsform zu erkennen, den Typus des theoretischen Menschen, über dessen Bedeutung und Ziel zur Einsicht zu kommen unsere nächste Aufgabe ist. Auch der theoretische Mensch hat ein unendliches Genügen am Vorhandenen – wie der Künstler – und ist wie jener vor der praktischen Ethik des Pessimismus und vor seinen nur im Finstern leuchtenden Lynkeusaugen durch jenes Genügen geschützt. Wenn nämlich der Künstler bei jeder Enthüllung der Wahrheit immer nur mit verzückten Blicken an dem hängenbleibt, was auch jetzt, nach der Enthüllung, noch Hülle bleibt, genießt und befriedigt sich der theoretische Mensch an der abgeworfenen Hülle und hat sein höchstes Lustziel in dem Prozeß einer immer glücklichen, durch eigene Kraft gelingenden Enthüllung. Es gäbe keine Wissenschaft, wenn ihr nur um jene eine nackte Göttin und um nichts anderes zu tun wäre. Denn dann müßte es ihren Jüngern zumute sein wie solchen, die ein Loch gerade durch die Erde graben wollten: von denen ein jeder einsieht, daß er bei größter und lebenslänglicher Anstrengung nur ein ganz kleines Stück der ungeheuren Tiefe zu durchgraben imstande sei, welches vor seinen Augen durch die Arbeit des nächsten wieder überschüttet wird, so daß ein dritter wohl daran zu tun scheint, wenn er auf eigne Faust eine neue Stelle für seine Bohrversuche wählt. Wenn jetzt nun einer zur Überzeugung beweist, daß auf diesem direkten Wege das Antipodenziel nicht zu erreichen sei, wer wird noch in den alten Tiefen weiterarbeiten wollen, es sei denn, daß er sich nicht inzwischen genügen lasse, edles Gestein zu finden oder Naturgesetze zu entdecken. Darum hat *Lessing,* der ehrlichste theoretische Mensch, es auszusprechen gewagt, daß ihm mehr *am Suchen der Wahrheit als an ihr selbst* gelegen sei: womit das Grundgeheimnis der Wissenschaft, zum Erstaunen, ja Ärger der Wissenschaftlichen, aufgedeckt worden ist. Nun steht freilich neben dieser vereinzelten Erkenntnis, als einem Exzeß der Ehrlichkeit, wenn nicht des Übermutes, eine tiefsinnige W a h n - v o r s t e l l u n g, welche zuerst in der Person des Sokrates zur Welt kam – jener unerschütterliche Glaube, daß das Denken, an dem Leitfaden der Kausalität, bis in die tiefsten Abgründe des Seins reiche und daß das Denken das Sein nicht nur zu erkennen, sondern sogar zu k o r r i g i e - r e n imstande sei. Dieser erhabene metaphysische Wahn ist als Instinkt der Wissenschaft beigegeben und führt sie immer und immer wieder zu ihren Grenzen, an denen sie in K u n s t umschlagen muß: a u f w e l c h e e s e i g e n t l i c h, b e i d i e s e m M e c h a n i s m u s, a b g e s e h n i s t.

Schauen wir jetzt, mit der Fackel dieses Gedankens, auf Sokrates hin: so erscheint er uns als der erste, der an der Hand jenes Instinktes der Wissenschaft nicht nur leben, sondern – was bei weitem mehr ist – auch sterben konnte: Und deshalb ist das Bild des s t e r b e n d e n S o k r a t e s als des durch Wissen und Gründe der Todesfurcht enthobenen Menschen das Wappenschild, das über dem Eingangstor der Wissenschaft einen jeden an deren Bestimmung erinnert, nämlich das Dasein als begreiflich und damit als gerechtfertigt erscheinen zu machen: wozu freilich, wenn die Gründe nicht reichen, schließlich auch der M y t h u s dienen muß, den ich sogar als notwendige Konsequenz, ja als Absicht der Wissenschaft soeben bezeichnete.

Wer sich einmal anschaulich macht, wie nach Sokrates, dem Mystagogen der Wissenschaft, sich eine Philosophenschule nach der anderen wie Welle auf Welle ablöst, wie eine nie geahnte Universalität der Wissensgier in dem weitesten Bereich der gebildeten Welt und als eigentliche Aufgabe für jeden höher Befähigten die Wissenschaft auf die hohe See führte, von der sie niemals seitdem wieder völlig vertrieben werden konnte, wie durch diese Universalität erst ein gemeinsames Netz des Gedankens über den gesamten Erdball, ja mit Ausblicken auf die Gesetzlichkeit eines ganzen Sonnensystems, gespannt wurde; wer dies alles, samt der erstaunlich hohen Wissenspyramide der Gegenwart, sich vergegenwärtigt, der kann sich nicht entbrechen, in Sokrates den einen Wendepunkt und Wirbel der sogenannten Weltgeschichte zu sehen. Denn dächte man sich einmal diese ganze unbezifferbare Summe von Kraft, die für jene Welttendenz verbraucht worden ist, nicht im Dienste des Erkennens, sondern auf die praktischen, das heißt egoistischen Ziele der Individuen und Völker verwendet, so wäre wahrscheinlich in allgemeinen Vernichtungskämpfen und fortdauernden Völkerwanderungen die instinktive Lust zum Leben so abgeschwächt, daß, bei der Gewohnheit des Selbstmordes, der einzelne vielleicht den letzten Rest von Pflichtgefühl empfinden müßte, wenn er wie der Bewohner der Fidschiinseln, als Sohn seine Eltern, als Freund seinen Freund erdrosselt: ein praktischer Pessimismus, der selbst eine grauenhafte Ethik des Völkermordes aus Mitleid erzeugen könnte – der übrigens überall in der Welt vorhanden ist und vorhanden war, wo nicht die Kunst in irgendwelchen Formen, besonders als Religion und Wissenschaft, zum Heilmittel und zur Abwehr jenes Pesthauchs erschienen ist.

Angesichts dieses praktischen Pessimismus ist Sokrates das Urbild des theoretischen Optimisten, der in dem bezeichneten Glauben an die Ergründlichkeit der Natur der

Dinge dem Wissen und der Erkenntnis die Kraft einer Universalmedizin beilegt und im Irrtum das Übel an sich begreift. In jene Gründe einzudringen und die wahre Erkenntnis vom Schein und vom Irrtum zu sondern dünkte dem sokratischen Menschen der edelste, selbst der einzige wahrhaft menschliche Beruf zu sein: so wie jener Mechanismus der Begriffe, Urteile und Schlüsse von Sokrates ab als höchste Betätigung und bewunderungswürdigste Gabe der Natur über alle anderen Fähigkeiten geschätzt wurde. Selbst die erhabensten sittlichen Taten, die Regungen des Mitleids, der Aufopferung, des Heroismus und jene schwer zu erringende Meeresstille der Seele, die der apollinische Grieche Sophrosyne nannte, wurden von Sokrates und seinen gleichgesinnten Nachfolgern bis auf die Gegenwart hin aus der Dialektik des Wissens abgeleitet und demgemäß als lehrbar bezeichnet. Wer die Lust einer sokratischen Erkenntnis an sich erfahren hat und spürt, wie diese, in immer weiteren Ringen, die ganze Welt der Erscheinungen zu umfassen sucht, der wird von da an keinen Stachel, der zum Dasein drängen könnte, heftiger empfinden als die Begierde, jene Eroberung zu vollenden und das Netz undurchdringbar fest zu spinnen. Einem so Gestimmten erscheint dann der platonische Sokrates als der Lehrer einer ganz neuen Form der „griechischen Heiterkeit" und Daseinsseligkeit, welche sich in Handlungen zu entladen sucht und diese Entladung zumeist in mäeutischen (Erkenntnis durch Zwiegespräche vermittelnden) und erziehenden Einwirkungen auf edle Jünglinge, zum Zweck der endlichen Erzeugung des Genius, finden wird.

Nun aber eilt die Wissenschaft, von ihrem kräftigen Wahne angespornt, unaufhaltsam bis zu ihren Grenzen, an denen ihr im Wesen der Logik verborgener Optimismus scheitert. Denn die Peripherie des Kreises der Wissenschaft hat unendlich viele Punkte, und während noch gar nicht abzusehen ist, wie jemals der Kreis völlig ausgemessen werden könnte, so trifft doch der edle und begabte Mensch noch vor der Mitte seines Daseins und unvermeidlich auch solche Grenzpunkte der Peripherie, wo er in das Unaufhellbare starrt. Wenn er hier zu seinem Schrecken sieht, wie die Logik sich an diesen Grenzen um sich selbst ringelt und endlich sich in den Schwanz beißt – da bricht die neue Form der Erkenntnis durch, die tragische Erkenntnis, die um nur ertragen zu werden, als Schutz und Heilmittel die Kunst braucht.

Schauen wir, mit gestärkten und an den Griechen erlabten Augen, auf die höchsten Sphären derjenigen Welt, die uns umflutet, so gewahren wir die in Sokrates vorbildlich erscheinende Gier der unersättlichen optimistischen Erkenntnis in tragische Resignation und Kunstbedürftigkeit umgeschlagen: während allerdings dieselbe Gier, auf ihren niederen Stufen, sich kunstfeindlich äußern und vornehmlich die dionysisch-tragische Kunst innerlich verabscheuen muß, wie dies an der Bekämpfung der äschyleischen Tragödie durch den Sokratismus beispielsweise dargestellt wurde.

Hier nun klopfen wir, bewegten Gemütes, an die Pforten der Gegenwart und Zukunft: Wird jenes „Umschlagen" zu immer neuen Konfigurationen des Genius und gerade des musiktreibenden Sokrates führen? Wird das über das Dasein gebreitete Netz der Kunst, sei es auch unter dem Namen der Religion oder der Wissenschaft, immer fester und zarter geflochten werden, oder ist sie bestimmt, unter dem ruhelos barbarischen Treiben und Wirbeln, das sich jetzt „die Gegenwart" nennt, in Fetzen zu reißen? – Besorgt, doch nicht trostlos, stehen wir eine kleine Weile beiseite, als die Beschaulichen, denen es erlaubt ist, Zeugen jener ungeheuren Kämpfe und Übergänge zu sein. Ach! Es ist der Zauber dieser Kämpfe, daß, wer sie schaut, sie auch kämpfen muß!

16

An diesem ausgeführten historischen Beispiel haben wir klarzumachen gesucht, wie die Tragödie an dem Entschwinden des Geistes der Musik ebenso gewiß zugrunde geht, wie sie aus diesem Geiste allein geboren werden kann. Das Ungewöhnliche dieser Behauptung zu mildern und andererseits den Ursprung dieser unserer Erkenntnis aufzuzeigen, müssen wir uns jetzt freien Blicks den analogen Erscheinungen der Gegenwart gegenüberstellen; wir müssen mitten hinein in jene Kämpfe treten, welche, wie ich eben sagte, zwischen der unersättlichen optimistischen Erkenntnis und der tragischen Kunstbedürftigkeit in den höchsten Sphären unserer jetzigen Welt gekämpft werden. Ich will hierbei von allen den anderen gegnerischen Trieben absehn, die zu jeder Zeit der Kunst und gerade der Tragödie entgegenarbeiten und die auch in der Gegenwart in dem Maße siegesgewiß um sich greifen, daß von den theatralischen Künsten, zum Beispiel allein die Posse und das Ballett, in einem einigermaßen üppigen Wuchern ihre vielleicht nicht für jedermann wohlriechenden Blüten treiben. Ich will nur von der erlauchtesten Gegnerschaft der tragischen Weltbetrachtung reden und meine damit die in ihrem tiefsten Wesen optimistische Wissenschaft, mit ihrem Ahnherrn Sokrates an der Spitze. Alsbald sollen auch die Mächte bei Namen genannt werden, welche mir eine Wiedergeburt der Tragödie – und welche andere selige Hoffnungen für das deutsche Wesen! – zu verbürgen scheinen.

Bevor wir uns mitten in jene Kämpfe hineinstürzen, hüllen wir uns in die Rüstung unsrer bisher eroberten Erkenntnisse. Im Gegensatz zu allen denen, welche beflissen sind, die Künste aus einem einzigen Prinzip, als dem notwendigen Lebensquell jedes Kunstwerks abzuleiten, halte ich den Blick auf jene beiden künstlerischen Gottheiten der Griechen, Apollo und Dionysus, geheftet und erkenne in

ihnen die lebendigen und anschaulichen Repräsentanten
z w e i e r in ihrem tiefsten Wesen und ihren höchsten Zielen
verschiedenen Kunstwelten. Apollo steht vor mir, als der
verklärende Genius des *Principii individuationis,* durch
den allein die Erlösung im Scheine wahrhaft zu erlangen
ist: während unter dem mystischen Jubelruf des Dionysus
der Bann der Individuation zersprengt wird und der Weg
zu den Müttern des Seins, zu dem innersten Kern der Dinge
offen liegt. Dieser ungeheure Gegensatz, der sich zwischen
der plastischen Kunst als der apollinischen und der Musik
als der dionysischen Kunst klaffend auftut, ist einem *einzigen* der großen Denker in dem Maße offenbar geworden,
daß er, selbst ohne jene Anleitung der hellenischen Götter-
symbolik, der Musik einen verschiedenen Charakter und
Ursprung vor allen anderen Künsten zuerkannte, weil sie
nicht, wie jene alle, Abbild der Erscheinung, sondern unmittelbar Abbild des Willens selbst sei und also zu a l l e m
P h y s i s c h e n der W e l t das M e t a p h y s i s c h e, zu aller
Erscheinung das *Ding an sich* darstelle. (Schopenhauer,
Welt als Wille und Vorstellung I, Seite 310.) Auf diese
wichtigste Erkenntnis aller Ästhetik, mit der, in einem
ernstern Sinne genommen, die Ästhetik erst beginnt, hat
Richard *Wagner,* zur Bekräftigung ihrer ewigen Wahrheit,
seinen Stempel gedrückt, wenn er im „Beethoven" fest-
stellt, daß die Musik nach ganz anderen ästhetischen Prinzipien als alle bildenden Künste und überhaupt nicht nach
der Kategorie der Schönheit zu bemessen sei: obgleich eine
irrige Ästhetik, an der Hand einer mißleiteten und entarteten Kunst, von jenem in der bildnerischen Welt geltenden
Begriff der Schönheit aus sich gewöhnt habe, von der Musik
eine ähnliche Wirkung wie von den Werken der bildenden
Kunst zu fordern, nämlich die Erregung d e s G e f a l -
l e n s a n s c h ö n e n F o r m e n. Nach der Erkenntnis jenes
ungeheuren Gegensatzes fühlte ich eine starke Nötigung,
mich dem Wesen der griechischen Tragödie und damit der

tiefsten Offenbarung des hellenischen Genius zu nahen:
Denn erst jetzt glaubte ich des Zaubers mächtig zu sein,
über die Phraseologie unserer üblichen Ästhetik hinaus,
das *Urproblem der Tragödie mir leibhaft vor die Seele*
stellen zu können: wodurch mir ein so befremdlich eigentümlicher Blick in das Hellenische vergönnt war, daß es
mir scheinen mußte, als ob unsre so stolz sich gebärdende
klassisch-hellenische Wissenschaft in der Hauptsache bis
jetzt nur an Schattenspielen und Äußerlichkeiten sich zu
weiden gewußt habe.

Jenes Urproblem möchten wir vielleicht mit dieser Frage
berühren: Welche ästhetische Wirkung entsteht, wenn jene
an sich getrennten Kunstmächte des Apollinischen und des
Dionysischen nebeneinander in Tätigkeit geraten? Oder in
kürzerer Form: *Wie verhält sich die Musik zu Bild und
Begriff?* – Schopenhauer, dem Richard Wagner gerade für
diesen Punkt eine nicht zu überbietende Deutlichkeit und
Durchsichtigkeit der Darstellung nachrühmt, äußert sich
hierüber am ausführlichsten in der folgenden Stelle, die ich
hier in ihrer ganzen Länge wiedergeben werde. Welt als
Wille und Vorstellung I, Seite 309: „Diesem allen zufolge
können wir die erscheinende Welt, oder die Natur, und die
Musik als zwei verschiedene Ausdrücke derselben Sache
ansehen, welche selbst daher das allein Vermittelnde der
Analogie beider ist, dessen Erkenntnis erfordert wird, um
jene Analogie einzusehen. Die Musik ist demnach, wenn als
Ausdruck der Welt angesehen, eine im höchsten Grad allgemeine Sprache, die sich sogar zur Allgemeinheit der Begriffe ungefähr verhält wie diese zu den einzelnen Dingen.
Ihre Allgemeinheit ist aber keineswegs jene leere Allgemeinheit der Abstraktion, sondern ganz anderer Art und
ist verbunden mit durchgängiger deutlicher Bestimmtheit.
Sie gleicht hierin den geometrischen Figuren und den Zah-
len, welche als die allgemeinen Formen aller möglichen
Objekte der Erfahrung und auf alle a priori anwendbar,

doch nicht abstrakt, sondern anschaulich und durchgängig bestimmt sind. Alle möglichen Bestrebungen, Erregungen und Äußerungen des Willens, alle jene Vorgänge im Innern des Menschen, welche die Vernunft in den weiten negativen Begriff Gefühl wirft, sind durch die unendlich vielen möglichen Melodien auszudrücken, aber immer in der Allgemeinheit bloßer Form, ohne den Stoff, immer nur nach dem *Ansich*, nicht nach der Erscheinung, gleichsam die innerste Seele derselben, ohne Körper. Aus diesem innigen Verhältnis, welches die Musik zum wahren Wesen aller Dinge hat, ist auch dies zu erklären, daß, wenn zu irgendeiner Szene, Handlung, Vorgang, Umgebung eine passende Musik ertönt, diese uns den geheimsten Sinn derselben aufzuschließen scheint und als der richtigste und deutlichste Kommentar dazu auftritt; im gleichen, daß es dem, der sich dem Eindruck einer Symphonie ganz hingibt, ist, als sähe er alle möglichen Vorgänge des Lebens und der Welt an sich vorüberziehen: dennoch kann er, wenn er sich besinnt, keine Ähnlichkeit angeben zwischen jenem Tonspiel und den Dingen, die ihm vorschwebten. Denn die Musik ist, wie gesagt, darin von allen anderen Künsten verschieden, daß sie nicht Abbild der Erscheinung oder richtiger: der adäquaten Objektivität des Willens, sondern *unmittelbar Abbild des Willens selbst* ist und also zu allem Physischen der Welt das Metaphysische, zu aller Erscheinung das Ding an sich darstellt. Man könnte demnach die Welt ebensowohl verkörperte Musik als verkörperten Willen nennen: Daraus also ist es erklärlich, warum Musik jedes Gemälde, ja jede Szene des wirklichen Lebens und der Welt sogleich in erhöhter Bedeutsamkeit hervortreten läßt; freilich um so mehr, je analoger ihre Melodie dem innern Geiste der gegebenen Erscheinung ist. Hierauf beruht es, daß man ein Gedicht als Gesang oder eine anschauliche Darstellung als Pantomime oder beides als Oper der Musik unterlegen kann. Solche einzelne Bilder des Menschenlebens, der allgemeinen Sprache der Musik untergelegt, sind nie mit durchgängiger Notwendigkeit ihr verbunden oder entsprechend; sondern sie stehen zu ihr nur im Verhältnis eines beliebigen Beispiels zu einem allgemeinen Begriff: Sie stellen in der Bestimmtheit der Wirklichkeit dasjenige dar, was die Musik in der Allgemeinheit bloßer Form aussagt. Denn die Melodien sind gewissermaßen, gleich den allgemeinen Begriffen, ein Abstraktum der Wirklichkeit. Diese nämlich, also die Welt der einzelnen Dinge, liefert das Anschauliche, das Besondere und Individuelle, den einzelnen Fall, sowohl zur Allgemeinheit der Begriffe als zur Allgemeinheit der Melodien, welche beide Allgemeinheiten einander aber in gewisser Hinsicht entgegengesetzt sind; indem die Begriffe nur die allererst aus der Anschauung abstrahierten Formen, gleichsam die abgezogene äußere Schale der Dinge, enthalten, also ganz eigentlich *Abstracta* sind; die Musik hingegen den innersten aller Gestaltung vorhergängigen Kern, oder das Herz der Dinge, gibt. Dies Verhältnis ließe sich recht gut in der Sprache der Scholastiker ausdrücken, indem man sagte: Die Begriffe sind die *Universalia post rem,* die Musik aber gibt die *Universalia ante rem* und die Wirklichkeit die *Universalia in re.* – Daß aber überhaupt eine Beziehung zwischen einer Komposition und einer anschaulichen Darstellung möglich ist, beruht, wie gesagt, darauf, daß beide nur ganz verschiedene Ausdrücke desselben innern Wesens der Welt sind. Wann nun im einzelnen Fall eine solche Beziehung wirklich vorhanden ist, also der Komponist die Willensregungen, welche den Kern einer Begebenheit ausmachen, in der allgemeinen Sprache der Musik auszusprechen gewußt hat: dann ist die Melodie des Liedes, die Musik der Oper ausdrucksvoll. Die vom Komponisten aufgefundene Analogie zwischen jenen beiden muß aber aus der unmittelbaren Erkenntnis des Wesens der Welt, seiner Vernunft unbewußt, hervorgegangen und darf nicht, mit bewußter Absichtlichkeit, durch Begriffe vermittelte Nachahmung sein: Sonst spricht die Musik nicht das innere Wesen, den Willen selbst aus; sondern ahmt nur seine Erscheinung ungenügend nach; wie dies alle eigentlich nachbildende Musik tut." –

Wir verstehen also, nach der Lehre Schopenhauers, die *Musik als die Sprache des Willens unmittelbar* und fühlen unsere Phantasie angeregt, jene zu uns redende, unsichtbare und doch so lebhaft bewegte Geisterwelt zu gestalten und sie in einem analogen Beispiel uns zu verkörpern. Andrerseits kommt Bild und Begriff, unter der Einwirkung einer wahrhaft entsprechenden Musik, zu einer erhöhten Bedeutsamkeit. Zweierlei Wirkungen pflegt also die dionysische Kunst auf das apollinische Kunstvermögen auszuüben: Die Musik reizt zum g l e i c h n i s a r t i g e n A n s c h a u e n der dionysischen Allgemeinheit, die Musik läßt sodann das gleichnisartige Bild i n h ö c h s t e r B e d e u t s a m k e i t hervortreten. Aus diesen an sich verständlichen und keiner tieferen Beobachtung unzugänglichen Tatsachen erschließe ich die Befähigung der Musik, d e n M y t h u s , das heißt das bedeutsamste Exempel, zu gebären und gerade den t r a g i s c h e n Mythus: den Mythus, der von der dionysischen Erkenntnis in Gleichnissen redet. An dem Phänomen des Lyrikers habe ich dargestellt, wie die Musik im Lyriker darnach ringt, in apollinischen Bildern über ihr Wesen sich kundzugeben: Denken wir uns jetzt, daß die Musik in ihrer höchsten Steigerung auch zu einer höchsten Verbildlichung zu kommen suchen muß, so müssen wir für möglich halten, daß sie auch den symbolischen Ausdruck für ihre eigentliche dionysische Weisheit zu finden wisse; und woanders werden wir diesen Ausdruck zu suchen haben, wenn nicht in der Tragödie und überhaupt im Begriff des T r a g i s c h e n ?

Aus dem Wesen der Kunst, wie sie gemeinhin nach der einzigen Kategorie des Scheines und der Schönheit begriffen wird, ist das Tragische in ehrlicher Weise gar nicht abzuleiten; erst aus dem Geiste der Musik heraus verstehen wir eine Freude an der Vernichtung des Individuums. Denn an den einzelnen Beispielen einer solchen Vernichtung wird uns nur das ewige Phänomen der dionysischen Kunst deutlich gemacht, die den Willen in seiner Allmacht gleichsam hinter dem *Principio individuationis,* das ewige Leben jenseits aller Erscheinung und trotz aller Vernichtung zum Ausdruck bringt. Die metaphysische Freude am Tragischen ist eine Übersetzung der instinktiv unbewußten dionysischen Weisheit in die Sprache des Bildes: Der Held, die höchste Willenserscheinung, wird zu unserer Lust verneint, weil er doch nur Erscheinung ist und das ewige Leben des Willens durch seine Vernichtung nicht berührt wird. „Wir glauben an das ewige Leben", so ruft die Tragödie; während die Musik die unmittelbare Idee dieses Lebens ist. Ein ganz verschiednes Ziel hat die Kunst des Plastikers: Hier überwindet Apollo das Leiden des Individuums durch die leuchtende Verherrlichung der E w i g k e i t d e r E r s c h e i n u n g, hier siegt die Schönheit über das dem Leben inhärierende Leiden, der Schmerz wird in einem gewissen Sinne aus den Zügen der Natur hinweggelogen. In der dionysischen Kunst und in deren tragischer Symbolik redet uns dieselbe Natur mit ihrer wahren, unverstellten Stimme an: „Seid, wie ich bin! Unter dem unaufhörlichen Wechsel der Erscheinungen die ewig schöpferische, ewig zum Dasein zwingende, an diesem Erscheinungswechsel sich ewig befriedigende Urmutter!"

17

Auch die dionysische Kunst will uns von der ewigen Lust des Daseins überzeugen: Nur sollen wir diese Lust nicht in den Erscheinungen, sondern hinter den Erscheinungen suchen. Wir sollen erkennen, wie alles, was entsteht, zum leidvollen Untergange bereit sein muß, wir werden gezwungen,

in die Schrecken der Individualexistenz hineinzublicken –
und sollen doch nicht erstarren: Ein metaphysischer Trost
reißt uns momentan aus dem Getriebe der Wandelgestalten
heraus. Wir sind wirklich in kurzen Augenblicken das Ur-
wesen selbst und fühlen dessen unbändige Daseinsgier und
Daseinslust; der Kampf, die Qual, die Vernichtung der
Erscheinungen dünkt uns jetzt wie notwendig, bei dem Übermaß von unzähligen, sich ins Leben drängenden und sto-
ßenden Daseinsformen, bei der überschwenglichen Frucht-
barkeit des Weltwillens; wir werden von dem wütenden
Stachel dieser Qualen in demselben Augenblicke durchbohrt,
wo wir gleichsam mit der unermeßlichen Urlust am Dasein
eins geworden sind und wo wir die Unzerstörbarkeit und
Ewigkeit dieser Lust in dionysischer Entzückung ahnen.
Trotz Furcht und Mitleid sind wir die Glücklich-Leben-
digen, nicht als Individuen, sondern als das e i n e Lebendige, mit dessen Zeugungslust wir verschmolzen sind.
Die Entstehungsgeschichte der griechischen Tragödie sagt
uns jetzt mit lichtvoller Bestimmtheit, wie das tragische
Kunstwerk der Griechen wirklich aus dem Geiste der Musik
herausgeboren ist: durch welchen Gedanken wir zum ersten
Male dem ursprünglichen und so erstaunlichen Sinne des
Chors gerecht geworden zu sein glauben. Zugleich aber
müssen wir zugeben, daß die vorhin aufgestellte Bedeutung
des tragischen Mythus den griechischen Dichtern, geschweige
den griechischen Philosophen, niemals in begrifflicher Deutlichkeit durchsichtig geworden ist; ihre Helden sprechen gewissermaßen oberflächlicher, als sie handeln; der Mythus
findet in dem gesprochenen Wort durchaus nicht seine ad-
äquate Objektivation. Das Gefüge der Szenen und die anschaulichen Bilder offenbaren eine tiefere Weisheit, als der
Dichter selbst in Worte und Begriffe fassen kann: wie das
gleiche auch bei Shakespeare beobachtet wird, dessen Hamlet zum Beispiel in einem ähnlichen Sinne oberflächlicher
redet, als er handelt, so daß nicht aus den Worten heraus,

sondern aus dem vertieften Anschauen und Überschauen des Ganzen jene früher erwähnte Hamletlehre zu entnehmen ist. In betreff der griechischen Tragödie, die uns freilich nur als Wortdrama entgegentritt, habe ich sogar angedeutet, daß jene Inkongruenz zwischen Mythus und Wort uns leicht verführen könnte, sie für flacher und bedeutungsloser zu halten, als sie ist, und demnach auch eine oberflächlichere Wirkung für sie vorauszusetzen, als sie nach den Zeugnissen der Alten gehabt haben muß: Denn wie leicht vergißt man, daß, was dem Wortdichter nicht gelungen war, die höchste Vergeistigung und Idealität des Mythus zu erreichen, ihm als schöpferischem Musiker in jedem Augenblick gelingen konnte! Wir freilich müssen uns die Übermacht der musikalischen Wirkung fast auf gelehrtem Wege rekonstruieren, um etwas von jenem unvergleichlichen Troste zu empfangen, der der wahren Tragödie zu eigen sein muß. Selbst diese musikalische Übermacht aber würden wir nur, wenn wir Griechen wären, als solche empfunden haben: während wir in der ganzen Entfaltung der griechischen Musik – der uns bekannten und vertrauten, so unendlich reicheren gegenüber – nur das in schüchternem Kraftgefühle angestimmte Jünglingslied des musikalischen Genius zu hören glauben. Die Griechen sind, wie die ägyptischen Priester sagen, die ewigen Kinder, und auch in der tragischen Kunst nur die Kinder, welche nicht wissen, welches erhabene Spielzeug unter ihren Händen entstanden ist und – zertrümmert wird.

Jenes Ringen des Geistes der Musik nach bildlicher und mythischer Offenbarung, welches von den Anfängen der Lyrik bis zur attischen Tragödie sich steigert, bricht plötzlich, nach eben erst errungener üppiger Entfaltung, ab und verschwindet gleichsam von der Oberfläche der hellenischen Kunst: während die aus diesem Ringen geborne dionysische Weltbetrachtung in den Mysterien weiterlebt und in den wunderbarsten Metamorphosen und Entartungen nicht aufhört, ernstere Naturen an sich zu ziehen. Ob sie nicht aus ihrer mystischen Tiefe einst wieder als Kunst emporsteigen wird?

Hier beschäftigt uns die Frage, ob die Macht, an deren Entgegenwirken die Tragödie sich brach, für alle Zeit genug Stärke hat, um das künstlerische Wiedererwachen der Tragödie und der tragischen Weltbetrachtung zu verhindern. Wenn die alte Tragödie durch den dialektischen Trieb zum Wissen und zum Optimismus der Wissenschaft aus ihrem Gleise gedrängt wurde, so wäre aus dieser Tatsache auf einen ewigen Kampf zwischen der theoretischen und der tragischen Weltbetrachtung zu schließen; und erst nachdem der Geist der Wissenschaft bis an seine Grenze geführt ist und sein Anspruch auf universale Gültigkeit durch den Nachweis jener Grenzen vernichtet ist, dürfte auf eine Wiedergeburt der Tragödie zu hoffen sein: für welche Kulturform wir das Symbol des musiktreibenden Sokrates in dem früher erörterten Sinne hinzustellen hätten. Bei dieser Gegenüberstellung verstehe ich unter dem Geiste der Wissenschaft jenen zuerst in der Person des Sokrates ans Licht gekommenen *Glauben an die Ergründlichkeit der Natur* und *an die Universalheilkraft des Wissens*.

Wer sich an die nächsten Folgen dieses rastlos vorwärtsdringenden Geistes der Wissenschaft erinnert, wird sich sofort vergegenwärtigen, wie durch ihn der Mythus vernichtet wurde und wie durch diese Vernichtung die Poesie aus ihrem natürlichen idealen Boden, als eine nunmehr heimatlose, verdrängt war. Haben wir mit Recht der Musik die Kraft zugesprochen, den Mythus wieder aus sich gebären zu können, so werden wir den Geist der Wissenschaft auch auf der Bahn zu suchen haben, wo er dieser mythenschaffenden Kraft der Musik feindlich entgegentritt. Dies geschieht in der Entfaltung des neueren attischen Dithyrambus, dessen Musik nicht mehr das innere Wesen, den Willen selbst aussprach, sondern nur die Erscheinung ungenügend, in einer durch Begriffe vermittelten Nachahmung, wiedergab: von welcher innerlich entarteten Musik sich die wahrhaft musikalischen Naturen mit demselben Widerwillen abwandten, den sie vor der kunstmörderischen Tendenz des Sokrates hatten. Der sicher zugreifende Instinkt des *Aristophanes* hat gewiß das Rechte erfaßt, wenn er Sokrates selbst, die Tragödie des Euripides und die Musik der neueren Dithyrambiker in dem gleichen Gefühle des Hasses zusammenfaßte und in allen drei Phänomenen die Merkmale einer degenerierten Kultur witterte. Durch jenen neueren Dithyrambus ist die Musik in frevelhafter Weise zum imitatorischen Konterfei der Erscheinung, zum Beispiel einer Schlacht, eines Seesturmes, gemacht und damit allerdings ihrer mythenschaffenden Kraft gänzlich beraubt worden. Denn wenn sie unsere Ergetzung nur dadurch zu erregen sucht, daß sie uns zwingt, äußerliche Analogien zwischen einem Vorgange des Lebens und der Natur und gewissen rhythmischen Figuren und charakteristischen Klängen der Musik zu suchen, wenn sich unser Verstand an der Erkenntnis dieser Analogien befriedigen soll, so sind wir in eine Stimmung herabgezogen, in der eine Empfängnis des Mythischen unmöglich ist; denn der Mythus will als ein einziges Exempel einer ins Unendliche hineinstarrenden Allgemeinheit und Wahrheit anschaulich empfunden werden. Die wahrhaft dionysische Musik tritt uns als ein solcher allgemeiner Spiegel des Weltwillens gegenüber: jenes anschauliche Ereignis, das sich in diesem Spiegel bricht, erweitert sich sofort für unser Gefühl zum Abbilde einer ewigen Wahrheit. Umgekehrt wird ein solches anschauliches Ereignis durch die Tonmalerei des neueren Dithyrambus sofort jedes mythischen Charakters entkleidet; jetzt ist die Musik zum dürftigen Abbilde der Erscheinung geworden und darum unendlich ärmer als die Erscheinung selbst: durch welche Armut sie für unsere Empfindung die Erscheinung selbst noch herabzieht, so daß jetzt zum Beispiel eine derartig

musikalisch imitierte Schlacht sich in Marschlärm, Signal-
klängen und so weiter erschöpft und unsere Phantasie gerade bei diesen Oberflächlichkeiten festgehalten wird. Die
Tonmalerei ist also in jeder Beziehung das Gegenstück zu
der mythenschaffenden Kraft der wahren Musik: Durch sie
wird die Erscheinung noch ärmer, als sie ist, während durch
die dionysische Musik die einzelne Erscheinung sich zum
Weltbilde bereichert und erweitert. Es war ein mächtiger
Sieg des undionysischen Geistes, als er, in der Entfaltung
des neueren Dithyrambus, die Musik sich selbst entfremdet
und sie zur Sklavin der Erscheinung herabgedrückt hatte.
Euripides, der in einem höhern Sinne eine durchaus unmusi-
kalische Natur genannt werden muß, ist aus ebendiesem
Grunde leidenschaftlicher Anhänger der neueren dithyrambischen Musik und verwendet mit der Freigebigkeit eines
Räubers alle ihre Effektstücke und Manieren.

Nach einer anderen Seite sehen wir die Kraft dieses undionysischen, gegen den Mythus gerichteten Geistes in Tätigkeit, wenn wir unsere Blicke auf das Überhandnehmen
der Charakterdarstellung und des psychologischen
Raffinements in der Tragödie von Sophokles ab richten.
Der Charakter soll sich nicht mehr zum ewigen Typus er-
weitern lassen, sondern im Gegenteil so durch künstliche
Nebenzüge und Schattierungen, durch feinste Bestimmtheit
aller Linien individuell wirken, daß der Zuschauer überhaupt nicht mehr den Mythus, sondern die mächtige Naturwahrheit und die Imitationskraft des Künstlers empfindet.
Auch hier gewahren wir den Sieg der Erscheinung über das
Allgemeine und die Lust an dem einzelnen gleichsam anato-
mischen Präparat, wir atmen bereits die Lust einer theoretischen Welt, welcher die wissenschaftliche Erkenntnis höher
gilt als die künstlerische Widerspiegelung einer Weltregel.
Die Bewegung auf der Linie des Charakteristischen geht
schnell weiter: Während noch Sophokles ganze Charaktere
malt und zu ihrer raffinierten Entfaltung den Mythus ins

Joch spannt, malt Euripides bereits nur noch große einzelne Charakterzüge, die sich in heftigen Leidenschaften zu äußern wissen; in der neuern attischen Komödie gibt es nur noch Masken mit e i n e m Ausdruck, leichtsinnige Alte, geprellte Kuppler, verschmitzte Sklaven in unermüdlicher Wiederholung. Wohin ist jetzt der mythenbildende Geist der Musik? Was jetzt noch von Musik übrig ist, das ist entweder Aufregungs- oder Erinnerungsmusik, das heißt entweder ein Stimulanzmittel für stumpfe und verbrauchte Nerven, oder Tonmalerei. Für die erstere kommt es auf den untergelegten Text kaum noch an: Schon bei Euripides geht es, wenn seine Helden oder Chöre erst zu singen anfangen, recht lüderlich zu; wohin mag es bei seinen frechen Nachfolgern gekommen sein?

Am allerdeutlichsten aber offenbart sich der neue un-dionysische Geist in den S c h l ü s s e n der neueren Dramen. In der alten Tragödie war der metaphysische Trost am Ende zu spüren gewesen, ohne den die Lust an der Tragödie überhaupt nicht zu erklären ist; am reinsten tönt vielleicht im *Ödipus auf Kolonos* der versöhnende Klang aus einer anderen Welt. Jetzt, als der Genius der Musik aus der Tragödie entflohen war, ist, im strengen Sinne, die Tragödie tot: Denn woher sollte man jetzt jenen metaphysischen Trost schöpfen können? Man suchte daher nach einer irdischen Lösung der tragischen Dissonanz; der Held, nachdem er durch das Schicksal hinreichend gemartet war, erntete in einer stattlichen Heirat, in göttlichen Ehrenbezeigungen einen wohlverdienten Lohn. Der Held war zum Gladiator geworden, dem man, nachdem er tüchtig geschunden und mit Wunden überdeckt war, gelegentlich die Freiheit schenkte. Der Deus ex machina ist an Stelle des metaphysischen Trostes getreten. Ich will nicht sagen, daß die tragische Weltbetrachtung überall und völlig durch den andrängenden Geist des Undionysischen zerstört wurde: Wir wissen nur, daß sie sich aus der Kunst gleichsam in die Unterwelt, in einer Entartung zum Geheimkult, flüchten mußte. Aber auf dem weitesten Gebiete der Oberfläche des hellenischen Wesens wütete der verzehrende Hauch jenes Geistes, welcher sich in jener Form der „griechischen Heiterkeit" kundgibt, von der bereits früher, als von einer greisenhaft unproduktiven Daseinslust, die Rede war; diese Heiterkeit ist ein Gegenstück zu der herrlichen „Naivität" der älteren Griechen, wie sie nach der gegebenen Charakteristik zu fassen ist als die aus einem düsteren Abgrunde hervorwachsende Blüte der appolinischen Kultur, als der Sieg, den der hellenische Wille durch seine Schönheitsspiegelung über das Leiden und die Weisheit des Leidens davonträgt. Die edelste Form jener anderen Form der „griechischen Heiterkeit", der alexandrinischen, ist die Heiterkeit des theoretischen Menschen: Sie zeigt dieselben charakteristischen Merkmale, die ich soeben aus dem Geiste des Undionysischen ableitete – daß sie die dionysische Weisheit und Kunst bekämpft; daß sie den Mythus aufzulösen trachtet; daß sie an Stelle eines metaphysischen Trostes eine irdische Konsonanz, ja einen eigenen Deus ex machina setzt, nämlich den Gott der Maschinen und Schmelztiegel, das heißt die im Dienste des höheren Egoismus erkannten und verwendeten Kräfte der Naturgeister; daß sie an eine Korrektur der Welt durch das Wissen, an ein durch die Wissenschaft geleitetes Leben glaubt und auch wirklich imstande ist, den einzelnen Menschen in einen allerengsten Kreis von lösbaren Aufgaben zu bannen, innerhalb dessen er heiter zum Leben sagt: „Ich will dich: Du bist wert, erkannt zu werden."

18

Es ist ein ewiges Phänomen: Immer findet der gierige Wille ein Mittel, durch eine über die Dinge gebreitete Illusion seine Geschöpfe im Leben festzuhalten und zum Weiterleben zu zwingen. Diesen fesselt die sokratische Lust des

Erkennens und der Wahn, durch dasselbe die ewige Wunde des Daseins heilen zu können, jenen umstrickt der vor seinen Augen wehende verführerische Schönheitsschleier der Kunst, jenen wiederum der metaphysische Trost, daß unter dem Wirbel der Erscheinungen das ewige Leben unzerstörbar weiterfließt: um von den gemeineren und fast noch kräftigeren Illusionen, die der Wille in jedem Augenblick bereithält, zu schweigen. Jene drei Illusionsstufen sind überhaupt nur für die edler ausgestatteten Naturen, von denen die Last und Schwere des Daseins überhaupt mit tieferer Unlust empfunden wird und die durch ausgesuchte Reizmittel über diese Unlust hinwegzutäuschen sind. Aus diesen Reizmitteln besteht alles, was wir Kultur nennen: Je nach der Proportion der Mischungen haben wir eine vorzugsweise s o k r a t i s c h e oder k ü n s t l e r i s c h e oder t r a g i s c h e Kultur; oder wenn man historische Exemplifikationen erlauben will: Es gibt entweder eine *alexandrinische* oder eine *hellenische* oder eine *buddhaistische* Kultur.

Unsere ganze moderne Welt ist in dem Netz der alexandrinischen Kultur befangen und kennt als Ideal den mit höchsten Erkenntniskräften ausgerüsteten, im Dienste der Wissenschaft arbeitenden t h e o r e t i s c h e n M e n s c h e n, dessen Urbild und Stammvater Sokrates ist. Alle unsere Erziehungsmittel haben ursprünglich dieses Ideal im Auge: Jede andere Existenz hat sich mühsam nebenbei emporzuringen, als erlaubte, nicht als beabsichtigte Existenz. In einem fast erschreckenden Sinne ist hier eine lange Zeit der Gebildete allein in der Form des Gelehrten gefunden worden; selbst unsere dichterischen Künste haben sich aus gelehrten Imitationen entwickeln müssen, und in dem Haupteffekt des Reimes erkennen wir noch die Entstehung unserer poetischen Form aus künstlichen Experimenten mit einer nicht heimischen, recht eigentlich gelehrten Sprache. Wie unverständlich müßte einem echten Griechen der an sich verständliche moderne Kulturmensch F a u s t erscheinen, der durch alle Fakultäten unbefriedigt stürmende, aus Wissenstrieb der Magie und dem Teufel ergebene Faust, den wir nur zur Vergleichung neben Sokrates zu stellen haben, um zu erkennen, daß der moderne Mensch die Grenzen jener sokratischen Erkenntnislust zu ahnen beginnt und aus dem weiten wüsten Wissensmeere nach einer Küste verlangt. Wenn Goethe einmal zu Eckermann, mit Bezug auf Napoleon, äußert: „Ja mein Guter, es gibt auch eine Produktivität der Taten", so hat er in anmutig naiver Weise daran erinnert, daß der nichttheoretische Mensch für den modernen Menschen etwas Unglaubwürdiges und Staunenerregendes ist, so daß es wieder der Weisheit eines Goethe bedarf, um auch eine so befremdende Existenzform begreiflich, ja verzeihlich zu finden.

Und nun soll man sich nicht verbergen, was im Schoße dieser sokratischen Kultur verborgen liegt! Der unumschränkt sich wähnende Optimismus! Nun soll man nicht erschrecken, wenn die Früchte dieses Optimismus reifen, wenn die von einer derartigen Kultur bis in die niedrigsten Schichten hinein durchsäuerte Gesellschaft allmählich unter üppigen Wallungen und Begehrungen erzittert, wenn der Glaube an das Erdenglück aller, wenn der Glaube an die Möglichkeit einer solchen allgemeinen Wissenskultur allmählich in die drohende Forderung eines solchen alexandrinischen Erdenglückes, in die Beschwörung eines Euripideischen Deus ex machina umschlägt! Man soll es merken: Die alexandrinische Kultur braucht einen Sklavenstand, um auf die Dauer existieren zu können; aber sie leugnet in ihrer optimistischen Betrachtung des Daseins die Notwendigkeit eines solchen Standes und geht deshalb, wenn der Effekt ihrer schönen Verführungs- und Beruhigungsworte von der „Würde des Menschen" und der „Würde der Arbeit" verbraucht ist, allmählich einer grauenvollen Vernichtung entgegen. Es gibt nichts Furchtbareres als einen barbarischen Sklavenstand, der seine Existenz als ein Unrecht zu betrachten gelernt hat und sich anschickt, nicht nur für sich, sondern für alle Generationen Rache zu nehmen. Wer wagt es, solchen drohenden Stürmen entgegen, sicheren Mutes an unsere blassen und ermüdeten Religionen zu appellieren, die selbst in ihren Fundamenten zu Gelehrtenreligionen entartet sind: so daß der Mythus, die notwendige Voraussetzung jeder Religion, bereits überall gelähmt ist und selbst auf diesem Bereich jener optimistische Geist zur Herrschaft gekommen ist, den wir als den Vernichtungskeim unserer Gesellschaft eben bezeichnet haben.

Während das im Schoße der theoretischen Kultur schlummernde Unheil allmählich den modernen Menschen zu ängstigen beginnt und er, unruhig, aus dem Schatze seiner Erfahrungen nach Mitteln greift, um die Gefahr abzuwenden, ohne selbst an diese Mittel recht zu glauben; während er also seine eigenen Konsequenzen zu ahnen beginnt: haben große allgemein angelegte Naturen, mit einer unglaublichen Besonnenheit, das Rüstzeug der Wissenschaft selbst zu benützen gewußt, um die Grenzen und die Bedingtheit des Erkennens überhaupt darzulegen und damit den Anspruch der Wissenschaft auf universale Geltung und universale Zwecke entscheidend zu leugnen: bei welchem Nachweise zum ersten Male jene Wahnvorstellung als solche erkannt wurde, welche an der Hand der Kausalität sich anmaßt, das innerste Wesen der Dinge ergründen zu können. Der ungeheuren Tapferkeit und Weisheit K a n t s und S c h o p e n h a u e r s ist der schwerste Sieg gelungen, der Sieg über den im Wesen der Logik verborgen liegenden Optimismus, der wiederum der Untergrund unserer Kultur ist. Wenn dieser an die Erkennbarkeit und Ergründlichkeit aller Welträtsel, gestützt auf die ihm unbedenklichen *aeternae veritates*, geglaubt und Raum, Zeit und Kausalität als gänzlich unbedingte Gesetze von allgemeinster Gültigkeit behandelt hatte, offenbarte Kant, wie diese eigentlich nur dazu dienten, die bloße Erscheinung, das Werk der Maja, zur einzigen und höchsten Realität zu erheben und sie an die Stelle des innersten und wahren Wesens der Dinge zu setzen und die wirkliche Erkenntnis von diesem dadurch unmöglich zu machen, das heißt, nach einem Schopenhauerschen Ausspruche, den Träumer noch fester einzuschläfern. (Welt als Wille und Vorstellung I, Seite 498.) Mit dieser Erkenntnis ist eine Kultur eingeleitet, welche ich als eine tragische zu bezeichnen wage: deren wichtigstes Merkmal ist, daß an die Stelle der Wissenschaft als höchstes Ziel die Weisheit gerückt wird, die sich, ungetäuscht durch die verführerischen Ablenkungen der Wissenschaften, mit unbewegtem Blicke dem Gesamtbilde der Welt zuwendet und in diesem das ewige Leiden mit sympathischer Liebesempfindung als das eigne Leiden zu ergreifen sucht. Denken wir uns eine heranwachsende Generation mit dieser Unerschrockenheit des Blicks, mit diesem heroischen Zug ins Ungeheure, denken wir uns den kühnen Schritt dieser Drachentöter, die stolze Verwegenheit, mit der sie allen den Schwächlichkeitsdoktrinen jenes Optimismus den Rücken kehren, um im ganzen und vollen „resolut zu leben": Sollte es nicht nötig sein, daß der tragische Mensch dieser Kultur, bei seiner Selbsterziehung zum Ernst und zum Schrecken, eine neue Kunst, die Kunst des metaphysischen Trostes, die *Tragödie* als die ihm zugehörige Helena begehren und mit Faust ausrufen muß:

> Und sollt' ich nicht, sehnsüchtigster Gewalt,
> ins Leben ziehn die einzigste Gestalt?

Nachdem aber die sokratische Kultur von zwei Seiten aus erschüttert ist und das Zepter ihrer Unfehlbarkeit nur noch mit zitternden Händen zu halten vermag, einmal aus Furcht vor ihren eigenen Konsequenzen, die sie nachgerade zu ahnen beginnt, sodann weil sie selbst von der ewigen Gültigkeit ihres Fundamentes nicht mehr mit dem früheren

naiven Zutrauen überzeugt ist: so ist es ein trauriges Schauspiel, wie sich der Tanz ihres Denkens sehnsüchtig immer
auf neue Gestalten stürzt, um sie zu umarmen, und sie
dann plötzlich wieder, wie Mephistopheles die verführerischen Lamien (blutsaugende Dämonen), schaudernd fah-
renläßt. Das ist ja das Merkmal jenes „Bruches", von dem
jedermann als von dem Urleiden der modernen Kultur zu
reden pflegt, daß der theoretische Mensch vor seinen Konsequenzen erschrickt und unbefriedigt es nicht mehr wagt,
sich dem furchtbaren Eisstrome des Daseins anzuvertrauen:
ängstlich läuft er am Ufer auf und ab. Er will nichts mehr
ganz haben, ganz auch mit aller der natürlichen Grausamkeit der Dinge. So weit hat ihn das optimistische Betrachten verzärtelt. Dazu fühlt er, wie eine Kultur, die auf dem
Prinzip der Wissenschaft aufgebaut ist, zugrunde gehen
muß, wenn sie anfängt, unlogisch zu werden, das heißt,
vor ihren Konsequenzen zurückzufliehen. Unsere Kunst
offenbart diese allgemeine Not: umsonst, daß man sich an
alle großen produktiven Perioden und Naturen imitato-
risch anlehnt, umsonst, daß man die ganze „Weltliteratur"
zum Troste des modernen Menschen um ihn versammelt
und ihn mitten unter die Kunststile und Künstler aller Zeiten hinstellt, damit er ihnen, wie Adam den Tieren, einen
Namen gebe: Er bleibt doch der ewig Hungernde, der „Kritiker" ohne Lust und Kraft, der alexandrinische Mensch,
der im Grunde Bibliothekar und Korrektor ist und an
Bücherstaub und Druckfehlern elend erblindet.

19

Man kann den innersten Gehalt dieser sokratischen Kultur
nicht schärfer bezeichnen, als wenn man sie die Kultur
der Oper nennt: Denn auf diesem Gebiete hat sich diese
Kultur mit eigener Naivität über ihr Wollen und Erken-

nen ausgesprochen, zu unserer Verwunderung, wenn wir die Genesis der Oper und die Tatsachen der Opernentwicklung mit den ewigen Wahrheiten des Apollinischen und des Dionysischen zusammenhalten. Ich erinnere zunächst an die Entstehung des *Stilo rappresentativo* und des Rezitativs. Ist es glaublich, daß diese gänzlich veräußerlichte, der Andacht unfähige Musik der Oper von einer Zeit mit schwärmerischer Gunst, gleichsam als die Wiedergeburt aller wahren Musik, empfangen und gehegt werden konnte, aus der sich soeben die unaussprechbar erhabene und heilige Musik *Palestrinas* erhoben hatte? Und wer möchte andrerseits nur die zerstreuungssüchtige Üppigkeit jener Florentiner Kreise und die Eitelkeit ihrer dramatischen Sänger für die so ungestüm sich verbreitende Lust an der Oper verantwortlich machen? Daß in derselben Zeit, ja in demselben Volke neben dem Gewölbebau Palestrinischer Harmonie, an dem das gesamte christliche Mittelalter gebaut hatte, jene Leidenschaft für eine halbmusikalische Sprechart erwachte, vermag ich mir nur aus einer im Wesen des Rezitativs mitwirkenden a u ß e r k ü n s t l e r i s c h e n T e n d e n z zu erklären.

Dem Zuhörer, der das Wort unter dem Gesange deutlich vernehmen will, entspricht der Sänger dadurch, daß er mehr spricht als singt und daß er den pathetischen Wortausdruck in diesem Halbgesange verschärft: Durch diese Verschärfung des Pathos erleichtert er das Verständnis des Wortes und überwindet jene übriggebliebene Hälfte der Musik. Die eigentliche Gefahr, die ihm jetzt droht, ist die, daß er der Musik einmal zur Unzeit das Übergewicht erteilt, wodurch sofort Pathos der Rede und Deutlichkeit des Wortes zugrunde gehen müßte: während er andrerseits immer den Trieb zu musikalischer Entladung und zu virtuosenhafter Präsentation seiner Stimme fühlt. Hier kommt ihm der „Dichter" zu Hilfe, der ihm genug Gelegenheiten zu lyrischen Interjektionen, Wort- und Sentenzenwieder-

holungen und so weiter zu bieten weiß: an welchen Stellen
der Sänger jetzt in dem rein musikalischen Elemente, ohne
Rücksicht auf das Wort, ausruhen kann. Dieser Wechsel
affektvoll eindringlicher, doch nur halbgesungener Rede
und ganzgesungener Interjektion, der im Wesen des *Stilo
rappresentativo* liegt, dies rasch wechselnde Bemühen, bald
auf den Begriff und die Vorstellung, bald auf den musikalischen Grund des Zuhörers zu wirken, ist etwas so gänzlich Unnatürliches und den Kunsttrieben des Dionysischen
und des Apollinischen in gleicher Weise so innerlich Wider-
sprechendes, daß man auf einen Ursprung des Rezitativs
zu schließen hat, der außerhalb aller künstlerischen Instinkte liegt. Das Rezitativ ist nach dieser Schilderung zu
definieren als die *Vermischung des epischen und des lyrischen Vortrags,* und zwar keinesfalls die innerlich bestän-
dige Mischung, die bei so gänzlich disparaten Dingen nicht
erreicht werden konnte, sondern die äußerlichste mosaik-
artige Konglutination, wie etwas Derartiges im Bereich der
Natur und der Erfahrung gänzlich vorbildlos ist. Dies
war aber nicht die Meinung jener Erfinder des
Rezitativs: Vielmehr glauben sie selbst und mit ihnen
ihr Zeitalter, daß durch jenen *Stilo rappresentativo* das
Geheimnis der antiken Musik gelöst sei, aus dem sich allein
die ungeheure Wirkung eines *Orpheus, Amphion,* ja auch
der griechischen Tragödie erklären lasse. Der neue Stil galt
als die Wiedererweckung der wirkungsvollsten Musik, der
altgriechischen: Ja man durfte sich, bei der allgemeinen
und ganz volkstümlichen Auffassung der homerischen Welt
als der Urwelt, dem Traume überlassen, jetzt wieder
in die paradiesischen Anfänge der Menschheit hinabgestie-
gen zu sein, in der notwendig auch die Musik jene unüber-
troffne Reinheit, Macht und Unschuld gehabt haben müßte,
von der die Dichter in ihren Schäferspielen so rührend zu
erzählen wußten. Hier sehen wir in das innerlichste Werden dieser recht eigentlich modernen Kunstgattung, der

Oper: Ein mächtiges Bedürfnis erzwingt sich hier eine Kunst, aber ein Bedürfnis unästhetischer Art: die Sehnsucht zum Idyll, der Glaube an eine urvorzeitliche Existenz des künstlerischen und guten Menschen. Das Rezitativ galt als die wiederentdeckte Sprache jenes Urmenschen; die Oper als das wiederaufgefundene Land jenes idyllisch oder heroisch guten Wesens, das zugleich in allen seinen Handlungen einem natürlichen Kunsttriebe folgt, das bei allem, was es zu sagen hat, wenigstens etwas singt, um, bei der leisesten Gefühlserregung, sofort mit voller Stimme zu singen. Es ist für uns jetzt gleichgültig, daß mit diesem neugeschaffnen Bilde des paradiesischen Künstlers die damaligen Humanisten gegen die alte kirchliche Vorstellung vom an sich verderbten und verlornen Menschen ankämpften: so daß die Oper als das Oppositionsdogma vom guten Menschen zu verstehen ist, mit dem aber zugleich ein Trostmittel gegen jenen Pessimismus gefunden war, zu dem gerade die Ernstgesinnten jener Zeit bei der grauenhaften Unsicherheit aller Zustände am stärksten gereizt waren. Genug, wenn wir erkannt haben, wie der eigentliche Zauber und damit die Genesis dieser neuen Kunstform in der Befriedigung eines gänzlich unästhetischen Bedürfnisses liegt, in der optimistischen Verherrlichung des Menschen an sich, in der Auffassung des Urmenschen als des von Natur guten und künstlerischen Menschen: welches Prinzip der Oper sich allmählich in eine drohende und entsetzliche Forderung umgewandelt hat, die wir, im Angesicht der sozialistischen Bewegungen der Gegenwart, nicht mehr überhören können. Der „gute Urmensch" will seine Rechte: welche paradiesischen Aussichten!

Ich stelle daneben noch eine ebenso deutliche Bestätigung meiner Ansicht, daß die Oper auf den gleichen Prinzipien mit unserer alexandrinischen Kultur aufgebaut ist. Die Oper ist die Geburt des theoretischen Menschen, des kritischen Laien, nicht des Künstlers: eine der befremdlichsten

Tatsachen in der Geschichte aller Künste. Es war die Forderung recht eigentlich unmusikalischer Zuhörer, daß man vor allem das Wort verstehen müsse: so daß eine Wiedergeburt der Tonkunst nur zu erwarten sei, wenn man irgendeine Gesangesweise entdecken werde, bei welcher das Textwort über den Kontrapunkt wie der Herr über den Diener herrsche. Denn die Worte seien um so viel edler als das begleitende harmonische System, um wieviel die Seele edler als der Körper sei. Mit der laienhaft unmusikalischen Roheit dieser Ansichten wurde in den Anfängen der Oper die Verbindung von Musik, Bild und Wort behandelt; im Sinne dieser Ästhetik kam es auch in den vornehmen Laienkreisen von Florenz, durch hier patronisierte Dichter und Sänger, zu den ersten Experimenten. Der kunstohnmächtige Mensch erzeugt sich eine Art von Kunst, gerade dadurch, daß er der unkünstlerische Mensch an sich ist. Weil er die dionysische Tiefe der Musik nicht ahnt, verwandelt er sich den Musikgenuß zur verstandesmäßigen Wort- und Tonrhetorik der Leidenschaft im *Stilo rappresentativo* und zur Wollust der Gesangeskünste; weil er keine Vision zu schauen vermag, zwingt er den Maschinisten und Dekorationskünstler in seinen Dienst; weil er das wahre Wesen des Künstlers nicht zu erfassen weiß, zaubert er vor sich den „künstlerischen Urmenschen" nach seinem Geschmack hin, das heißt den Menschen, der in der Leidenschaft singt und Verse spricht. Er träumt sich in eine Zeit hinein, in der die Leidenschaft ausreicht, um Gesänge und Dichtungen zu erzeugen: als ob je der Affekt imstande gewesen sei, etwas Künstlerisches zu schaffen. Die Voraussetzung der Oper ist ein falscher Glaube über den künstlerischen Prozeß, und zwar jener idyllische Glaube, daß eigentlich jeder empfindende Mensch Künstler sei. Im Sinne dieses Glaubens ist die Oper der Ausdruck des Laientums in der Kunst, das seine Gesetze mit dem heitern Optimismus des theoretischen Menschen diktiert.

Sollten wir wünschen, die beiden eben geschilderten, bei

der Entstehung der Oper wirksamen Vorstellungen unter
einen Begriff zu vereinigen, so würde uns nur übrigbleiben,
von einer idyllischen Tendenz der Oper zu sprechen:
wobei wir uns allein der Ausdrucksweise und Erklärung
Schillers zu bedienen hätten. Entweder, sagt dieser, ist die
Natur und das Ideal ein Gegenstand der Trauer, wenn jene
als verloren, dieses als unerreicht dargestellt wird. Oder
beide sind ein Gegenstand der Freude, indem sie als wirklich vorgestellt werden. Das erste gibt die Elegie in engerer,
das andere die Idylle in weitester Bedeutung. Hier ist nun
sofort auf das gemeinsame Merkmal jener beiden Vorstellungen in der Operngenesis aufmerksam zu machen, daß in
ihnen das Ideal nicht als unerreicht, die Natur nicht als verloren empfunden wird. Es gab nach dieser Empfindung eine
Urzeit des Menschen, in der er am Herzen der Natur lag
und bei dieser Natürlichkeit zugleich das Ideal der Menschheit, in einer paradiesischen Güte und Künstlerschaft, erreicht hatte: von welchem vollkommnen Urmenschen wir
alle abstammen sollten, ja dessen getreues Ebenbild wir
noch wären: nur müßten wir einiges von uns werfen, um
uns selbst wieder als diesen Urmenschen zu erkennen, vermöge einer freiwilligen Entäußerung von überflüssiger Ge-
lehrsamkeit, von überreicher Kultur. Der Bildungsmensch
der Renaissance ließ sich durch seine opernhafte Imitation
der griechischen Tragödie zu einem solchen Zusammenklang
von Natur und Ideal, zu einer idyllischen Wirklichkeit zu-
rückgeleitet, er benutzte diese Tragödie, wie *Dante* den
Virgil benutzte, um bis an die Pforten des Paradieses geführt zu werden: während er von hier aus selbständig noch
weiter schritt und von einer Imitation der höchsten griechischen Kunstform zu einer „Wiederbringung aller Dinge",
zu einer Nachbildung der ursprünglichen Kunstwelt des
Menschen überging. Welche zuversichtliche Gutmütigkeit
dieser verwegenen Bestrebungen — mitten im Schoße der
theoretischen Kultur! —, einzig nur aus dem tröstenden Glau-

ben zu erklären, daß „der Mensch an sich" der ewig tugendhafte Opernheld, der ewig flötende oder singende Schäfer
sei, der sich endlich immer als solchen wiederfinden müsse,
falls er sich selbst irgendwann einmal wirklich auf einige
Zeit verloren habe, einzig die Frucht jenes Optimismus, der
aus der Tiefe der sokratischen Weltbetrachtung hier wie
eine süßlich verführerische Duftsäule emporsteigt.

Es liegt also auf den Zügen der Oper keinesfalls jener
elegische Schmerz eines ewigen Verlustes, vielmehr die Heiterkeit des ewigen Wiederfindens, die bequeme Lust an einer
idyllischen Wirklichkeit, die man wenigstens sich als wirklich in jedem Augenblicke vorstellen kann: wobei man vielleicht einmal ahnt, daß diese vermeinte Wirklichkeit nichts
als ein phantastisch läppisches Getändel ist, dem jeder, der
es an dem furchtbaren Ernst der wahren Natur zu messen
und mit den eigentlichen Urszenen der Menschheitsanfänge
zu vergleichen vermöchte, mit Ekel zurufen müßte: Weg
mit dem Phantom! Trotzdem würde man sich täuschen,
wenn man glaubte, ein solches tändelndes Wesen, wie die
Oper ist, einfach durch einen kräftigen Anruf wie ein Ge-
spenst verscheuchen zu können. Wer die Oper vernichten
will, muß den Kampf gegen jene alexandrinische Heiterkeit
aufnehmen, die sich in ihr so naiv über ihre Lieblingsvor-
stellung ausspricht, ja deren eigentliche Kunstform sie ist.
Was ist aber für die Kunst selbst von dem Wirken einer
Kunstform zu erwarten, deren Ursprünge überhaupt nicht
im ästhetischen Bereiche liegen, die sich vielmehr aus einer
halb moralischen Sphäre auf das künstlerische Gebiet hin-
übergestohlen hat und über diese hybride Entstehung nur
hier und da einmal hinwegzutäuschen vermochte? Von welchen Säften nährt sich dieses parasitische Opernwesen, wenn
nicht von denen der wahren Kunst? Wird nicht zu mut-
maßen sein, daß unter seinen idyllischen Verführungen,
unter seinen alexandrinischen Schmeichelkünsten die höchste
und wahrhaftig ernst zu nennende Aufgabe der Kunst – das

Auge vom Blick ins Grauen der Nacht zu erlösen und das Subjekt durch den heilenden Balsam des Scheins aus dem Krampfe der Willensregungen zu retten – zu einer leeren und zerstreuenden Ergetzlichkeitstendenz entarten werde? Was wird aus den ewigen Wahrheiten des Dionysischen und des Apollinischen? Bei einer solchen Stilvermischung, wie ich sie am Wesen des *Stilo rappresentativo* dargelegt habe – wo die Musik als Diener, das Textwort als Herr betrachtet, die Musik mit dem Körper, das Textwort mit der Seele verglichen wird – wo das höchste Ziel bestenfalls auf eine umschreibende Tonmalerei gerichtet sein wird, ähnlich wie ehedem im neuen attischen Dithyrambus – wo der Musik ihre wahre Würde, dionysischer Weltspiegel zu sein, völlig entfremdet ist, so daß ihr nur übrigbleibt, als Sklavin der Erscheinung, das Formenwesen der Erscheinung nachzuahmen und in dem Spiele der Linien und Proportionen eine äußerliche Ergetzung zu erregen. Einer strengen Betrachtung fällt dieser verhängnisvolle Einfluß der Oper auf die Musik geradezu mit der gesamten modernen Musikentwicklung zusammen; dem in der Genesis der Oper und im Wesen der durch sie repräsentierten Kultur lauernden Optimismus ist es in beängstigender Schnelligkeit gelungen, die Musik ihrer dionysischen Weltbestimmung zu entkleiden und ihr einen formenspielerischen, vergnüglichen Charakter aufzuprägen: mit welcher Veränderung nur etwa die Metamorphose des äschyleischen Menschen in den alexandrinischen Heiterkeitsmenschen verglichen werden dürfte.

Wenn wir aber mit Recht in der hiermit angedeuteten Exemplifikation das Entschwinden des dionysischen Geistes mit einer höchst auffälligen, aber bisher unerklärten Umwandlung und Degeneration des griechischen Menschen in Zusammenhang gebracht haben – welche Hoffnungen müssen in uns aufleben, wenn uns die allersichersten Auspizien den umgekehrten Prozeß, das allmähliche Erwachen des dionysischen Geistes in unserer gegenwärtigen Welt, verbürgen! Es ist nicht möglich, daß die göttliche Kraft des Herakles ewig im üppigen Frondienste der Omphale erschlafft. Aus dem dionysischen Grunde des deutschen Geistes ist eine Macht emporgestiegen, die mit den Urbedingungen der sokratischen Kultur nichts gemein hat und aus ihnen weder zu erklären noch zu entschuldigen ist, vielmehr von dieser Kultur als das Schrecklich-Unerklärliche, als das Übermächtig-Feindselige empfunden wird, die deutsche Musik, wie wir sie vornehmlich in ihrem mächtigen Sonnenlaufe von *Bach* zu *Beethoven,* von *Beethoven* zu *Wagner* zu verstehen haben. Was vermag die erkenntnislüsterne Sokratik unserer Tage günstigstenfalls mit diesem aus unerschöpflichen Tiefen emporsteigenden Dämon zu beginnen? Weder von dem Zacken- und Arabeskenwerk der Opernmelodie aus noch mit Hilfe des arithmetischen Rechenbretts der Fuge und der kontrapunktischen Dialektik will sich die Formel finden lassen, in deren dreimal gewaltigem Licht man jenen Dämon sich unterwürfig zu machen und zum Reden zu zwingen vermöchte. Welches Schauspiel, wenn jetzt unsere Ästhetiker, mit dem Fangnetz einer ihnen eignen „Schönheit", nach dem vor ihnen mit unbegreiflichem Leben sich tummelnden Musikgenius schlagen und haschen, unter Bewegungen, die nach der ewigen Schönheit ebensowenig als nach dem Erhabenen beurteilt werden wollen. Man mag sich nur diese Musikgönner einmal leibhaft und in der Nähe besehen, wenn sie so unermüdlich Schönheit! Schönheit! rufen, ob sie sich dabei wie die im Schoße des Schönen gebildeten und verwöhnten Lieblingskinder der Natur ausnehmen oder ob sie nicht vielmehr für die eigne Roheit eine lügnerisch verhüllende Form, für die eigne empfindungsarme Nüchternheit einen ästhetischen Vorwand suchen: wobei ich zum Beispiel an Otto Jahn denke. Vor der deutschen Musik aber mag sich der Lügner und Heuchler in acht nehmen: Denn gerade sie ist, inmitten aller unserer Kultur, der einzig reine, lautere und läuternde

Feuergeist, von dem aus und zu dem hin, wie in der Lehre des großen *Heraklit von Ephesus,* sich alle Dinge in doppelter Kreisbahn bewegen: Alles, was wir jetzt Kultur, Bildung, Zivilisation nennen, wird einmal vor dem untrüglichen Richter Dionysus erscheinen müssen.

Erinnern wir uns sodann, wie dem aus gleichen Quellen strömenden Geiste der deutschen Philosophie durch Kant und Schopenhauer es ermöglicht war, die zufriedne Daseinslust der wissenschaftlichen Sokratik, durch den Nachweis ihrer Grenzen, zu vernichten, wie durch diesen Nachweis eine unendlich tiefere und ernstere Betrachtung der ethischen Fragen und der Kunst eingeleitet wurde, die wir geradezu als die in Begriffe gefaßte dionysische Weisheit bezeichnen können: Wohin weist uns das Mysterium dieser Einheit zwischen der deutschen Musik und der deutschen Philosophie, wenn nicht auf eine neue Daseinsform, über deren Inhalt wir uns nur aus hellenischen Analogien ahnend unterrichten können? Denn diesen unausmeßbaren Wert behält für uns, die wir an der Grenzscheide zweier verschiedener Daseinsformen stehen, das hellenische Vorbild, daß in ihm auch alle jene Übergänge und Kämpfe zu einer klassisch-belehrenden Form ausgeprägt sind: nur daß wir gleichsam in umgekehrter Ordnung die großen Hauptepochen des hellenischen Wesens analogisch durcherleben und zum Beispiel jetzt aus dem alexandrinischen Zeitalter rückwärts zur Periode der Tragödie zu schreiten scheinen. Dabei lebt in uns die Empfindung, als ob die Geburt eines tragischen Zeitalters für den deutschen Geist nur eine Rückkehr zu sich selbst, ein seliges Sichwiederfinden zu bedeuten habe, nachdem für eine lange Zeit ungeheure, von außen her eindringende Mächte den in hilfloser Barbarei der Form dahinlebenden zu einer Knechtschaft unter ihrer Form gezwungen hatten. Jetzt endlich darf er, nach seiner Heimkehr zum Urquell seines Wesens, vor allen Völkern kühn und frei, ohne das Gängelband einer romanischen

Zivilisation, einherzuschreiten wagen: wenn er nur von einem Volke unentwegt zu lernen versteht, von dem überhaupt lernen zu können schon ein hoher Ruhm und eine auszeichnende Seltenheit ist: von den Griechen. Und wann brauchten wir diese allerhöchsten Lehrmeister mehr als jetzt, wo wir die Wiedergeburt der Tragödie erleben und in Gefahr sind, weder zu wissen, woher sie kommt, noch uns deuten zu können, wohin sie will?

20

Es möchte einmal unter den Augen eines unbestochenen Richters abgewogen werden, in welcher Zeit und in welchen Männern bisher der deutsche Geist, von den Griechen zu lernen, am kräftigsten gerungen hat; und wenn wir mit Zuversicht annehmen, daß dem edelsten Bildungskampfe Goethes, Schillers und Winckelmanns dieses einzige Lob zugesprochen werden müßte, so wäre jedenfalls hinzuzufügen, daß seit jener Zeit und den nächsten Einwirkungen jenes Kampfes, das Streben, auf einer gleichen Bahn zur Bildung und zu den Griechen zu kommen, in unbegreiflicher Weise schwächer und schwächer geworden ist. Sollten wir, um nicht ganz an dem deutschen Geist verzweifeln zu müssen, nicht daraus den Schluß ziehen dürfen, daß in irgendwelchem Hauptpunkte es auch jenen Kämpfern nicht gelungen sein möchte, in den Kern des hellenischen Wesens einzudringen und einen dauernden Liebesbund zwischen der deutschen und der griechischen Kultur herzustellen? So daß vielleicht ein unbewußtes Erkennen jenes Mangels auch in den ernsteren Naturen den verzagten Zweifel erregte, ob sie, nach solchen Vorgängern, auf diesem Bildungswege noch weiter wie jene und *überhaupt zum Ziele* kommen würden. Deshalb sehen wir seit jener Zeit das Urteil über den Wert der Griechen für die Bildung in der bedenklichsten Weise entarten; der Ausdruck mitleidiger Überlegenheit ist in den verschiedensten Feldlagern des Geistes und des Ungeistes zu hören; anderwärts tändelt eine gänzlich wirkungslose Schönrednerei mit der „griechischen Harmonie", der „griechischen Schönheit", der „griechischen Heiterkeit". Und gerade in den Kreisen, deren Würde es sein könnte, aus dem griechischen Strombett unermüdet – zum Heile deutscher Bildung – zu schöpfen, in den Kreisen der Lehrer an den höhern Bildungsanstalten, hat man am besten gelernt, sich mit den Griechen zeitig und in bequemer Weise abzufinden, nicht selten bis zu einem skeptischen Preisgeben des hellenischen Ideals und bis zu einer gänzlichen Verkehrung der wahren Absicht aller Altertumsstudien. Wer überhaupt in jenen Kreisen sich nicht völlig in dem Bemühen, ein zuverlässiger Korrektor von alten Texten oder ein naturhistorischer Sprachmikroskopiker zu sein, erschöpft hat, der sucht vielleicht auch das griechische Altertum, neben anderen Altertümern, sich „historisch" anzueignen, aber jedenfalls nach der Methode und mit den überlegenen Mienen unserer jetzigen gebildeten Geschichtsschreibung. Wenn demnach die eigentliche Bildungskraft der höheren Lehranstalten wohl noch niemals niedriger und schwächlicher gewesen ist wie in der Gegenwart, wenn der „Journalist", der papierne Sklave des Tages, in jeder Rücksicht auf Bildung den Sieg über den höheren Lehrer davongetragen hat und letzterem nur noch die bereits oft erlebte Metamorphose übrigbleibt, sich jetzt nun auch in der Sprechweise des Journalisten, mit der „leichten Eleganz" dieser Sphäre, als heiterer, gebildeter Schmetterling zu bewegen – in welcher peinlichen Verwirrung müssen die derartig Gebildeten einer solchen Gegenwart jenes Phänomen anstarren, das nur etwa aus dem tiefsten Grunde des bisher unbegriffnen hellenischen Genius analogisch zu begreifen wäre, das Wiedererwachen des dionysischen Geistes und die Wiedergeburt der Tragödie? Es gibt keine andere Kunstperiode, in der sich die sogenannte Bildung und

die eigentliche Kunst so befremdet und abgeneigt gegenüber-
gestanden hätten, als wir das in der Gegenwart mit Augen
sehn. Wir verstehen es, warum eine so schwächliche Bildung
die wahre Kunst haßt; denn sie fürchtet durch sie ihren
Untergang. Aber sollte nicht eine ganze Art der Kultur,
nämlich jene sokratisch-alexandrinische, sich ausgelebt haben, nachdem sie in eine so zierlich-schmächtige Spitze, wie
die gegenwärtige Bildung ist, auslaufen konnte! Wenn es
solchen Helden, wie Schiller und Goethe, nicht gelingen
durfte, jene verzauberte Pforte zu erbrechen, die in den hellenischen Zauberberg führt, wenn es bei ihrem mutigsten
Ringen nicht weiter gekommen ist als bis zu jenem sehn-
süchtigen Blick, den die *Goethische Iphigenie* vom barbarischen Tauris aus nach der Heimat über das Meer hin sendet,
was bliebe den Epigonen solcher Helden zu hoffen, wenn
sich ihnen nicht plötzlich, an einer ganz anderen, von allen
Bemühungen der bisherigen Kultur unberührten Seite die
Pforte von selbst auftäte – unter dem mystischen Klange
der wiedererweckten Tragödienmusik.

Möge uns niemand unsern Glauben an eine noch bevor-
stehende Wiedergeburt des hellenischen Altertums zu ver-
kümmern suchen; denn in ihm finden wir allein unsre Hoffnung für eine Erneuerung und Läuterung des deutschen
Geistes durch den Feuerzauber der Musik. Was wüßten wir
sonst zu nennen, was in der Verödung und Ermattung der
jetzigen Kultur irgendwelche tröstliche Erwartung für die
Zukunft erwecken könnte? Vergebens spähen wir nach einer
einzigen kräftig geästeten Wurzel, nach einem Fleck frucht-
baren und gesunden Erdbodens: überall Staub, Sand, Er-
starrung, Verschmachten. Da möchte sich ein trostlos Ver-
einsamter kein besseres Symbol wählen können als den
Ritter mit Tod und Teufel, wie ihn uns Dürer gezeichnet hat,
den geharnischten Ritter mit dem erzenen, harten Blicke,
der seinen Schreckensweg, unbeirrt durch seine grausen Gefährten, und doch hoffnungslos, allein mit Roß und Hund

zu nehmen weiß. Ein solcher Dürerscher Ritter war unser Schopenhauer: Ihm fehlte jede Hoffnung, aber er wollte die Wahrheit. Es gibt nicht seinesgleichen. –

Aber wie verändert sich plötzlich jene eben so düster geschilderte Wildnis unserer ermüdeten Kultur, wenn sie der dionysische Zauber berührt! Ein Sturmwind packt alles Abgelebte, Morsche, Zerbrochne, Verkümmerte, hüllt es wirbelnd in eine rote Staubwolke und trägt es wie ein Geier in die Lüfte. Verwirrt suchen unsere Blicke nach dem Entschwundenen: Denn was sie sehen, ist wie aus einer Versenkung ans goldne Licht gestiegen, so voll und grün, so üppig lebendig, so sehnsuchtsvoll unermeßlich. Die Tragödie sitzt inmitten dieses Überflusses an Leben, Leid und Lust, in erhabener Entzückung, sie horcht einem fernen schwermütigen Gesange – er erzählt von den Müttern des Seins, deren Namen lauten: Wahn, Wille, Wehe. – Ja, meine Freunde, glaubt mit mir an das dionysische Leben und an die Wiedergeburt der Tragödie. Die Zeit des sokratischen Menschen ist vorüber: Kränzt euch mit Efeu, nehmt den Thyrsusstab zur Hand und wundert euch nicht, wenn Tiger und Panther sich schmeichelnd zu euren Knien niederlegen. Jetzt wagt es nur, tragische Menschen zu sein: Denn ihr sollt erlöst werden. Ihr sollt den dionysischen Festzug von Indien nach Griechenland geleiten! Rüstet euch zu hartem Streite, aber glaubt an die Wunder eures Gottes!

21

Von diesen exhortativen Tönen in die Stimmung zurückgleitend, die dem Beschaulichen geziemt, wiederhole ich, daß nur von den Griechen gelernt werden kann, was ein solches wundergleiches plötzliches Aufwachen der Tragödie für den innersten Lebensgrund eines Volkes zu bedeuten hat. Es ist das Volk der tragischen Mysterien, das die Perserschlachten schlägt: Und wiederum braucht das Volk, das jene Kriege geführt hat, die Tragödie als notwendigen Genesungstrank. Wer würde gerade bei diesem Volke, nachdem es durch mehrere Generationen von den stärksten Zuckungen des dionysischen Dämons bis ins Innerste erregt wurde, noch einen so gleichmäßig kräftigen Erguß des einfachsten politischen Gefühls, der natürlichsten Heimatinstinkte, der ursprünglichen männlichen Kampflust vermuten? Ist es doch bei jedem bedeutenden Umsichgreifen dionysischer Erregungen immer zu spüren, wie die dionysische Lösung von den Fesseln des Individuums sich am allerersten in einer bis zur Gleichgültigkeit, ja Feindseligkeit gesteigerten Beeinträchtigung der politischen Instinkte fühlbar macht, so gewiß andererseits der staatenbildende Apollo auch der Genius des *Principii individuationis* ist und Staat und Heimatssinn nicht ohne Bejahung der individuellen Persönlichkeit leben können. Von dem Orgiasmus aus führt für ein Volk nur *ein* Weg, der Weg zum indischen Buddhaismus, der, um überhaupt mit seiner Sehnsucht ins Nichts ertragen zu werden, jener seltnen ekstatischen Zustände mit ihrer Erhebung über Raum, Zeit und Individuum bedarf: wie diese wiederum eine Philosophie fordern, die es lehrt, die unbeschreibliche Unlust der Zwischenzustände durch eine Vorstellung zu überwinden. Ebenso notwendig gerät ein Volk, von der unbedingten Geltung der politischen Triebe aus, in eine Bahn äußerster Verweltlichung, deren großartigster, aber auch erschrecklichster Ausdruck das Römische Imperium ist.

Zwischen Indien und Rom hingestellt und zu verführerischer Wahl gedrängt, ist es den Griechen gelungen, in klassischer Reinheit eine dritte Form hinzuzuerfinden, freilich nicht zu langem eigenem Gebrauche, aber ebendarum für die Unsterblichkeit. Denn daß die Lieblinge der Götter früh sterben, gilt in allen Dingen, aber ebenso gewiß, daß sie mit den Göttern dann ewig leben. Man verlange doch von dem Alleredelsten nicht, daß es die haltbare Zähigkeit des Leders habe; die derbe Dauerhaftigkeit, wie sie zum Beispiel dem römischen Nationaltriebe zu eigen war, gehört wahrscheinlich nicht zu den notwendigen Prädikaten der Vollkommenheit. Wenn wir aber fragen, mit welchem Heilmittel es den Griechen ermöglicht war, in ihrer großen Zeit, bei der außerordentlichen Stärke ihrer dionysischen und politischen Triebe, weder durch ein ekstatisches Brüten noch durch ein verzehrendes Haschen nach Weltmacht und Weltehre sich zu erschöpfen, sondern jene herrliche Mischung zu erreichen, wie sie ein edler, zugleich befeuernder und beschaulich stimmender Wein hat, so müssen wir der ungeheuren, das ganze Volksleben erregenden, reinigenden und entladenden Gewalt der Tragödie eingedenk sein; deren höchsten Wert wir erst ahnen werden, wenn sie uns, wie bei den Griechen, als Inbegriff aller prophylaktischen Heilkräfte, als die zwischen den stärksten und an sich verhängnisvollsten Eigenschaften des Volkes waltende Mittlerin entgegentritt.

Die Tragödie saugt den höchsten Musikorgiasmus in sich hinein, so daß sie geradezu die Musik, bei den Griechen wie bei uns, zur Vollendung bringt, stellt dann aber den tragischen Mythus und den tragischen Helden daneben, der dann, einem mächtigen Titanen gleich, die ganze dionysische Welt auf seinen Rücken nimmt und uns davon entlastet: während sie andrerseits durch denselben tragischen Mythus, in der Person des tragischen Helden, von dem gierigen Drange nach diesem Dasein zu erlösen weiß und mit mahnender Hand an ein anderes Sein und an eine höhere Lust erinnert, zu welcher der kämpfende Held durch seinen Untergang, nicht durch seine Siege, sich ahnungsvoll vorbereitet. Die Tragödie stellt zwischen die universale Geltung ihrer Musik und den dionysisch empfänglichen Zuhörer ein erhabenes Gleichnis: den Mythus und erweckt bei jenem den Schein, als ob die Musik nur ein höchstes Darstellungsmittel zur Belebung der plastischen Welt des Mythus sei. Dieser edlen Täuschung vertrauend, darf sie jetzt ihre Glieder zum dithyrambischen Tanze bewegen und sich unbedenklich einem orgiastischen Gefühle der Freiheit hingeben, in welchem sie als Musik an sich, ohne jene Täuschung, nicht zu schwelgen wagen dürfte. Der Mythus schützt uns vor der Musik, wie er ihr andrerseits erst die höchste Freiheit gibt. Dafür verleiht die Musik, als Gegengeschenk, dem tragischen Mythus eine so eindringliche und überzeugende metaphysische Bedeutsamkeit, wie sie Wort und Bild, ohne jene einzige Hilfe, nie zu erreichen vermögen; und insbesondere überkommt durch sie den tragischen Zuschauer gerade jenes sichere Vorgefühl einer höchsten Lust, zu der der Weg durch Untergang und Verneinung führt, so daß er zu hören meint, als ob der innerste Abgrund der Dinge zu ihm vernehmlich spräche.

Habe ich dieser schwierigen Vorstellung mit den letzten Sätzen vielleicht nur einen vorläufigen, für wenige sofort verständlichen Ausdruck zu geben vermocht, so darf ich gerade an dieser Stelle nicht ablassen, meine Freunde zu einem nochmaligen Versuche anzureizen und sie zu bitten, an einem einzelnen Beispiele unsrer gemeinsamen Erfahrung sich für die Erkenntnis des allgemeinen Satzes vorzubereiten. Bei diesem Beispiele darf ich mich nicht auf jene beziehn, welche die Bilder der szenischen Vorgänge, die Worte und Affekte der handelnden Personen benutzen, um sich mit dieser Hilfe der Musikempfindung anzunähern; denn diese alle reden nicht Musik als Muttersprache und kommen auch, trotz jener Hilfe, nicht weiter als in die Vorhallen der Musikperzeption, ohne je deren innerste Heiligtümer berühren zu dürfen; manche von diesen, wie Gervinus, gelangen auf diesem Wege nicht einmal in die Vorhallen. Sondern nur an diejenigen habe ich mich zu wenden, die, unmittelbar verwandt mit der Musik, in ihr gleichsam ihren Mutterschoß haben und mit den Dingen fast nur durch unbewußte Musikrelationen in Verbindung stehen. An diese echten Musiker richte ich die Frage, ob sie sich einen Menschen denken können, der den dritten Akt von „Tristan und Isolde", ohne alle Beihilfe von Wort und Bild, rein als ungeheuren symphonischen Satz zu perzipieren imstande wäre, ohne unter einem krampfartigen Ausspannen aller Seelenflügel zu veratmen? Ein Mensch, der wie hier das Ohr gleichsam an die Herzkammer des Weltwillens gelegt hat, der das rasende Begehren zum Dasein als donnernden Strom oder als zartesten zerstäubten Bach von hier aus in alle Adern der Welt sich ergießen fühlt, er sollte nicht jählings zerbrechen? Er sollte es ertragen, in der elenden gläsernen Hülle des menschlichen Individuums, den Widerklang zahlloser Lust- und Weherufe aus dem „weiten Raum der Weltennacht" zu vernehmen, ohne bei diesem Hirtenreigen der Metaphysik sich seiner Urheimat unaufhaltsam zuzuflüchten? Wenn aber doch ein solches Werk als Ganzes perzipiert werden kann, ohne Verneinung der Individualexistenz, wenn eine solche Schöpfung geschaffen werden konnte, ohne ihren Schöpfer zu zerschmettern – woher nehmen wir die Lösung eines solchen Widerspruches?

Hier drängt sich zwischen unsre höchste Musikerregung und jene Musik der tragische Mythus und der tragische Held, im Grunde nur als Gleichnis der alleruniversalsten Tatsachen, von denen allein die Musik auf direktem Wege reden kann. Als Gleichnis würde nun aber der Mythus, wenn wir als rein dionysische Wesen empfänden, gänzlich wirkungslos und unbeachtet neben uns stehenbleiben und uns keinen Augenblick abwendig davon machen, unser Ohr dem Widerklang der *Universalia ante rem* zu bieten. Hier bricht jedoch die apollinische Kraft, auf Wiederherstellung des fast zersprengten Individuums gerichtet, mit dem Heilbalsam einer wonnevollen Täuschung hervor: Plötzlich glauben wir nur noch Tristan zu sehen, wie er bewegungslos und dumpf sich fragt: „Die alte Weise; was weckt sie mich?" Und was uns früher wie ein hohles Seufzen aus dem Mittelpunkte des Seins anmutete, das will uns jetzt nur sagen, wie

„öd und leer das Meer". Und wo wir atemlos zu erlöschen wähnten, im krampfartigen Sichausrecken aller Gefühle, und nur ein weniges uns mit dieser Existenz zusammenknüpfte, hören und sehen wir jetzt nur den zum Tode verwundeten und doch nicht sterbenden Helden mit seinem verzweiflungsvollen Rufe: „Sehnen! Sehnen! Im Sterben mich zu sehnen, vor Sehnsucht nicht zu sterben!" Und wenn früher der Jubel des Horns nach solchem Übermaß und solcher Überzahl verzehrender Qualen fast wie der Qualen höchste uns das Herz zerschnitt, so steht jetzt zwischen uns und diesem „Jubel an sich" der jauchzende Kurwenal, dem Schiffe, das Isolden trägt, zugewandt. So gewaltig auch das Mitleiden in uns hineingreift, in einem gewissen Sinne rettet uns doch das *Mitleiden* vor dem *Urleiden* der Welt – wie das Gleichnisbild des Mythus uns vor dem unmittelbaren Anschaun der höchsten Weltidee – wie der Gedanke und das Wort uns vor dem ungedämmten Ergusse des unbewußten Willens rettet. Durch jene herrliche apollinische Täuschung dünkt es uns, als ob uns selbst das Tonreich wie eine plastische Welt gegenüberträte, als ob auch in ihr nur Tristans und Isoldens Schicksal, wie in einem allerzartesten und ausdrucksfähigsten Stoffe, geformt und bildnerisch ausgeprägt worden sei.

So entreißt uns das Apollinische der dionysischen Allgemeinheit und entzückt uns für die Individuen; an diese fesselt es unsre Mitleidserregung, durch diese befriedigt es den nach großen und erhabenen Formen lechzenden Schönheitssinn; es führt an uns Lebensbilder vorbei und reizt uns zu gedankenhaftem Erfassen des in ihnen enthaltenen Lebenskernes. Mit der ungeheuren Wucht des Bildes, des Begriffs, der ethischen Lehre, der sympathischen Erregung reißt das Apollinische den Menschen aus seiner orgiastischen Selbstvernichtung empor und täuscht ihn über die Allgemeinheit des dionysischen Vorganges hinweg zu dem Wahne, daß er ein einzelnes Weltbild, zum Beispiel Tristan und Isolde, sehe und es, durch die Musik, nur noch besser und innerlicher s e h e n solle. Was vermag nicht der heilkundige Zauber des Apollo, wenn er selbst in uns die Täuschung aufregen kann, als ob wirklich das Dionysische, im Dienste des Apollinischen, dessen Wirkungen zu steigern vermöchte, ja als ob die Musik sogar wesentlich Darstellungskunst für einen apollinischen Inhalt sei?

Bei jener prästabilierten Harmonie, die zwischen dem vollendeten Drama und seiner Musik waltet, erreicht das Drama einen höchsten, für das Wortdrama sonst unzugänglichen Grad von Schaubarkeit. Wie alle lebendigen Gestalten der Szene in den selbständig bewegten Melodienlinien sich zur Deutlichkeit der geschwungenen Linie vor uns vereinfachen, ertönt uns das Nebeneinander dieser Linien in dem mit dem bewegten Vorgange auf zarteste Weise sympathisierenden Harmonienwechsel: durch welchen uns die Relationen der Dinge in sinnlich wahrnehmbarer, keinesfalls abstrakter Weise, unmittelbar vernehmbar werden, wie wir gleichfalls durch ihn erkennen, daß erst in diesen Relationen das Wesen eines Charakters und einer Melodienlinie sich rein offenbare. Und während uns so die Musik zwingt, mehr und innerlicher als sonst zu sehen und den Vorhang der Szene wie ein zartes Gespinst vor uns auszubreiten, ist für unser vergeistigtes, ins Innere blickendes Auge die Welt der Bühne ebenso unendlich erweitert als von innen heraus erleuchtet. Was vermöchte der Wortdichter Analoges zu bieten, der mit einem viel unvollkommneren Mechanismus, auf indirektem Wege, vom Wort und vom Begriff aus, jene innerliche Erweiterung der schaubaren Bühnenwelt und ihre innere Erleuchtung zu erreichen sich abmüht? Nimmt nun zwar auch die musikalische Tragödie das Wort hinzu, so kann sie doch zugleich den Untergrund und die Geburtsstätte des Wortes danebenstellen und uns das Werden des Wortes, von innen heraus, verdeutlichen.

Aber von diesem geschilderten Vorgang wäre doch ebenso bestimmt zu sagen, daß er nur ein herrlicher Schein, nämlich jene vorhin erwähnte apollinische Täuschung sei, durch deren Wirkung wir von dem dionysischen Andrange und Übermaße entlastet werden sollen. Im Grunde ist ja das Verhältnis der Musik zum Drama gerade das umgekehrte: *Die Musik ist die eigentliche Idee der Welt, das Drama nur ein Abglanz dieser Idee,* ein vereinzeltes Schattenbild derselben. Jene Identität zwischen der Melodienlinie und der lebendigen Gestalt, zwischen der Harmonie und den Charakterrelationen jener Gestalt ist in einem entgegengesetzten Sinne wahr, als es uns, beim Anschaun der musikalischen Tragödie, dünken möchte. Wir mögen die Gestalt uns auf das sichtbarste bewegen, beleben und von innen heraus beleuchten, sie bleibt immer nur die Erscheinung, von der es keine Brücke gibt, die in die wahre Realität, ins Herz der Welt führte. Aus diesem Herzen heraus aber redet die Musik; und zahllose Erscheinungen jener Art dürften an der gleichen Musik vorüberziehn, sie würden nie das Wesen derselben erschöpfen, sondern immer nur ihre veräußerlichten Abbilder sein. Mit dem populären und gänzlich falschen Gegensatz von Seele und Körper ist freilich für das schwierige Verhältnis von Musik und Drama nichts zu erklären und alles zu verwirren; aber die unphilosophische Roheit jenes Gegensatzes scheint gerade bei unseren Ästhetikern, wer weiß aus welchen Gründen, zu einem gern bekannten Glaubensartikel geworden zu sein, während sie über einen Gegensatz der Erscheinung und des Dinges an sich nichts gelernt haben oder, aus ebenfalls unbekannten Gründen, nichts lernen mochten.

Sollte es sich bei unserer Analysis ergeben haben, daß das Apollinische in der Tragödie durch seine Täuschung völlig den Sieg über das dionysische Urelement der Musik davongetragen und sich diese zu ihren Absichten, nämlich zu einer höchsten Verdeutlichung des Dramas, nutzbar gemacht habe, so wäre freilich eine sehr wichtige Einschränkung hinzuzufügen: In dem allerwesentlichsten Punkte ist jene apollinische Täuschung durchbrochen und vernichtet. Das Drama, das in so innerlich erleuchteter Deutlichkeit aller Bewegungen und Gestalten, mit Hilfe der Musik, sich vor uns ausbreitet, als ob wir das Gewebe am Webstuhl im Aufundniederzucken entstehen sehen – erreicht als Ganzes eine Wirkung, die jenseits aller apollinischen Kunstwirkungen liegt. In der Gesamtwirkung der Tragödie erlangt das Dionysische wieder das Übergewicht; sie schließt mit einem Klange, der niemals von dem Reiche der apollinischen Kunst her tönen könnte. Und damit erweist sich die apollinische Täuschung als das, was sie ist – als die während der Dauer der Tragödie anhaltende Umschleierung der eigentlichen dionysischen Wirkung –: die doch so mächtig ist, am Schluß das apollinische Drama selbst in eine Sphäre zu drängen, wo es mit dionysischer Weisheit zu reden beginnt und wo es sich selbst und seine apollinische Sichtbarkeit verneint. So wäre wirklich das schwierige Verhältnis des Apollinischen und des Dionysischen in der Tragödie durch einen Bruderbund beider Gottheiten zu symbolisieren: *Dionysus redet die Sprache des Apollo, Apollo aber schließlich die Sprache des Dionysus:* womit das höchste Ziel der Tragödie und der Kunst überhaupt erreicht ist.

22

Mag der aufmerksame Freund sich die Wirkung einer wahren musikalischen Tragödie rein und unvermischt, nach seinen Erfahrungen, vergegenwärtigen. Ich denke das Phänomen dieser Wirkung nach beiden Seiten hin so beschrieben zu haben, daß er sich seine eignen Erfahrungen jetzt

zu deuten wissen wird. Er wird sich nämlich erinnern, wie
er, im Hinblick auf den vor ihm sich bewegenden Mythus,
zu einer Art von Allwissenheit sich gesteigert fühlte, als
ob jetzt die Sehkraft seiner Augen nicht nur eine Flächen-
kraft sei, sondern ins Innere zu dringen vermöge und als
ob er die Wallungen des Willens, den Kampf der Motive,
den anschwellenden Strom der Leidenschaften, jetzt, mit
Hilfe der Musik, gleichsam sinnlich sichtbar, wie eine Fülle
lebendig bewegter Linien und Figuren, vor sich sehe und
damit bis in die zartesten Geheimnisse unbewußter Regungen hinabtauchen könne. Während er so einer höchsten
Steigerung seiner auf Sichtbarkeit und Verklärung gerichteten Triebe bewußt wird, fühlt er doch ebenso bestimmt,
daß diese lange Reihe apollinischer Kunstwirkungen doch
n i c h t jenes beglückte Verharren in willenlosem Anschauen
erzeugt, das der Plastiker und der epische Dichter, also die
eigentlich apollinischen Künstler, durch ihre Kunstwerke
bei ihm hervorbringen: das heißt die in jenem Anschauen
erreichte Rechtfertigung der Welt der *Individuatio,* als
welche die Spitze und der Inbegriff der apollinischen Kunst
ist. Er schaut die verklärte Welt der Bühne und verneint
sie doch. Er sieht den tragischen Helden vor sich in epischer
Deutlichkeit und Schönheit und erfreut sich doch an seiner
Vernichtung. Er begreift bis ins Innerste den Vorgang der
Szene und flüchtet sich gern ins Unbegreifliche. Er fühlt die
Handlungen des Helden als gerechtfertigt und ist doch
noch mehr erhoben, wenn diese Handlungen den Urheber
vernichten. Er schaudert vor den Leiden, die den Helden
treffen werden, und ahnt doch bei ihnen eine höhere, viel
übermächtigere Lust. Er schaut mehr und tiefer als je und
wünscht sich doch erblindet. Woher werden wir diese wunderbare Selbstentzweiung, dies Umbrechen der apollinischen Spitze, abzuleiten haben, wenn nicht aus dem d i o n y -
s i s c h e n Zauber, der, zum Schein die apollinischen Regungen aufs höchste reizend, doch noch diesen Überschwang

der apollinischen Kraft in seinen Dienst zu zwingen vermag. Der tragische Mythus ist nur zu verstehen als eine Verbildlichung dionysischer Weisheit durch apollinische Kunstmittel; er führt die Welt der Erscheinung an die Grenzen, wo sie sich selbst verneint und wieder in den Schoß der wahren und einzigen Realität zurückzuflüchten sucht; wo sie dann, mit Isolden, ihren metaphysischen Schwanengesang also anzustimmen scheint:

> In des Wonnemeeres
> wogendem Schwall,
> in der Duftwellen
> tönendem Schall,
> in des Weltatems
> wehendem All –
> ertrinken – versinken –
> unbewußt – höchste Lust!

So vergegenwärtigen wir uns, an den Erfahrungen des wahrhaft ästhetischen Zuhörers, den tragischen Künstler selbst, wie er, gleich einer üppigen Gottheit der *Individuatio*, seine Gestalten schafft, in welchem Sinne sein Werk kaum als „Nachahmung der Natur" zu begreifen wäre – wie dann aber sein ungeheurer dionysischer Trieb diese ganze Welt der Erscheinungen verschlingt, um hinter ihr und durch ihre Vernichtung eine höchste künstlerische Urfreude im Schoße des *U*reinen ahnen zu lassen. Freilich wissen von dieser Rückkehr zur Urheimat, von dem Bruderbunde der beiden Kunstgottheiten in der Tragödie und von der sowohl apollinischen als dionysischen Erregung des Zuhörers unsere Ästhetiker nichts zu berichten, während sie nicht müde werden, den Kampf des Helden mit dem Schicksal, den Sieg der sittlichen Weltordnung oder eine durch die Tragödie bewirkte Entladung von Affekten als das eigentlich Tragische zu charakterisieren: welche Unverdrossenheit mich auf den Gedanken bringt, sie möchten überhaupt keine ästhetisch erregbaren Menschen sein und beim Anhören der Tragödie vielleicht nur als moralische Wesen in Betracht kommen. Noch nie, seit Aristoteles, ist eine Erklärung der tragischen Wirkung gegeben worden, aus der auf künstlerische Zustände, auf eine ästhetische Tätigkeit der Zuhörer geschlossen werden dürfte. Bald soll Mitleid und Furchtsamkeit durch die ernsten Vorgänge zu einer erleichternden Entladung gedrängt werden, bald sollen wir uns bei dem Sieg guter und edler Prinzipien, bei der Aufopferung des Helden im Sinne einer sittlichen Weltbetrachtung erhoben und begeistert fühlen; und so gewiß ich glaube, daß für zahlreiche Menschen gerade das, und nur das, die Wirkung der Tragödie ist, so deutlich ergibt sich daraus, daß diese alle, samt ihren interpretierenden Ästhetikern, von der Tragödie als einer höchsten K u n s t nichts erfahren haben. Jene pathologische Entladung, die Katharsis (Läuterung) des Aristoteles, von der die Philologen nicht recht wissen, ob sie unter die medizinischen oder die moralischen Phänomene zu rechnen sei, erinnert an eine merkwürdige Ahnung Goethes. „Ohne ein lebhaftes pathologisches Interesse", sagt er, „ist es auch mir niemals gelungen, irgendeine tragische Situation zu bearbeiten, und ich habe sie daher lieber vermieden als aufgesucht. Sollte es wohl auch einer von den Vorzügen der Alten gewesen sein, daß das höchste Pathetische auch nur ästhetisches Spiel bei ihnen gewesen wäre, da bei uns die Naturwahrheit mitwirken muß, um ein solches Werk hervorzubringen?" Diese so tiefsinnige letzte Frage dürfen wir jetzt, nach unseren herrlichen Erfahrungen, bejahen, nachdem wir gerade an der musikalischen Tragödie mit Staunen erlebt haben, wie wirklich das höchste Pathetische doch nur ein ästhetisches Spiel sein kann: weshalb wir glauben dürfen, daß erst jetzt das Urphänomen des Tragischen mit einigem Erfolg zu beschreiben ist. Wer jetzt noch nur von jenen stellvertretenden Wirkungen aus außerästhetischen Sphären zu erzählen hat und über den pathologisch-moralischen Prozeß sich nicht hinausgehoben fühlt, mag nur an seiner ästhetischen Natur verzweifeln: wogegen wir ihm die Interpretation Shakespeares nach der Manier des Gervinus und das fleißige Aufspüren der „poetischen Gerechtigkeit" als unschuldigen Ersatz anempfehlen.

So ist mit der Wiedergeburt der Tragödie auch der ästhetische Zuhörer wieder geboren, an dessen Stelle bisher in den Theaterräumen ein seltsames *Quidproquo*, mit halb moralischen und halb gelehrten Ansprüchen, zu sitzen pflegte, der „Kritiker". In seiner bisherigen Sphäre war alles künstlich und nur mit einem Scheine des Lebens übertüncht. Der darstellende Künstler wußte in der Tat nicht mehr, was er mit einem solchen, kritisch sich gebärdenden Zuhörer zu beginnen habe, und spähte daher, samt dem ihn inspirierenden Dramatiker oder Opernkomponisten, unruhig nach den letzten Resten des Lebens in diesem anspruchsvoll öden und zum Genießen unfähigen Wesen. Aus derartigen „Kritikern" bestand aber bisher das Publikum; der Student, der Schulknabe, ja selbst das harmloseste weibliche Geschöpf war wider sein Wissen bereits durch Erziehung und Journale zu einer gleichen Perzeption eines Kunstwerks vorbereitet. Die edleren Naturen unter den Künstlern rechneten bei einem solchen Publikum auf die Erregung moralisch-religiöser Kräfte, und der Anruf der „sittlichen Weltordnung" trat vikarierend ein, wo eigentlich ein gewaltiger Kunstzauber den echten Zuhörer entzücken sollte. Oder es wurde vom Dramatiker eine großartigere, mindestens aufregende Tendenz der politischen und sozialen Gegenwart so deutlich vorgetragen, daß der Zuhörer seine kritische Erschöpfung vergessen und sich ähnlichen Affekten überlassen konnte – wie in patriotischen oder kriegerischen Momenten; oder vor der Rednerbühne des Parlaments; oder bei der Verurteilung des Verbrechens und des Lasters: welche Entfremdung der eigentlichen Kunstabsichten hier und da geradezu zu einem Kultus der Tendenz führen mußte. Doch hier trat ein, was bei allen erkünstelten Künsten von jeher eingetreten ist: eine reißend schnelle Depravation jener Tendenzen, so daß zum Beispiel die Tendenz, das Theater als Veranstaltung zur moralischen Volksbildung zu verwenden, die zu Schillers Zeit ernsthaft genommen wurde, bereits unter die unglaubwürdigen Antiquitäten einer überwundenen Bildung gerechnet wird. Während der Kritiker in Theater und Konzert, der Journalist in der Schule, die Presse in der Gesellschaft zur Herrschaft gekommen war, entartete die Kunst zu einem Unterhaltungsobjekt der niedrigsten Art, und die ästhetische Kritik wurde als das Bindemittel einer eiteln, zerstreuten, selbstsüchtigen und überdies ärmlich-unoriginalen Geselligkeit benutzt, deren Sinn jene Schopenhauerische Parabel von den Stachelschweinen zu verstehen gibt; so daß zu keiner Zeit so viel über Kunst geschwatzt und so wenig von der Kunst gehalten worden ist. Kann man aber mit einem Menschen noch verkehren, der imstande ist, sich über Beethoven und Shakespeare zu unterhalten? Mag jeder nach seinem Gefühl diese Frage beantworten: Er wird mit der Antwort jedenfalls beweisen, was er sich unter „Bildung" vorstellt, vorausgesetzt daß er die Frage überhaupt zu beantworten sucht und nicht vor Überraschung bereits verstummt ist.

Dagegen dürfte mancher edler und zarter von der Natur Befähigte, ob er gleich in der geschilderten Weise allmählich zum kritischen Barbaren geworden war, von einer ebenso unerwarteten als gänzlich unverständlichen Wirkung zu erzählen haben, die etwa eine glücklich gelungene Lohengrinaufführung auf ihn ausübte: nur daß ihm vielleicht jede Hand fehlte, die ihn mahnend und deutend anfaßte, so daß auch jene unbegreiflich verschiedenartige und durchaus unvergleichliche Empfindung, die ihn damals erschütterte, vereinzelt blieb und wie ein rätselhaftes Gestirn nach kurzem Leuchten erlosch. Damals hatte er geahnt, was der ästhetische Zuhörer ist.

23

Wer recht genau sich selber prüfen will, wie sehr er dem wahren ästhetischen Zuhörer verwandt ist oder zur Gemeinschaft der sokratisch-kritischen Menschen gehört, der mag sich nur aufrichtig nach der Empfindung fragen, mit der er das auf der Bühne dargestellte Wunder empfängt: ob er etwa dabei seinen historischen, auf strenge psychologische Kausalität gerichteten Sinn beleidigt fühlt, ob er mit einer wohlwollenden Konzession gleichsam das Wunder als ein der Kindheit verständliches, ihm entfremdetes Phänomen zuläßt oder ob er irgend etwas anderes dabei erleidet. Daran nämlich wird er messen können, wie weit er überhaupt befähigt ist, den Mythus, das zusammengezogene Weltbild, zu verstehen, der, als Abbreviatur der Erscheinung, das Wunder nicht entbehren kann. Das Wahrscheinliche ist aber, daß fast jeder, bei strenger Prüfung, sich so durch den kritisch-historischen Geist unserer Bildung zersetzt fühlt, um nur etwa auf gelehrtem Wege, durch vermittelnde Abstraktionen, sich die einstmalige Existenz des Mythus glaublich zu machen. Ohne Mythus aber geht jede Kultur ihrer gesunden schöpferischen Naturkraft verlustig: Erst ein mit Mythen umstellter Horizont schließt eine ganze Kulturbewegung zur Einheit ab. Alle Kräfte der Phantasie und des apollinischen Traumes werden erst durch den Mythus aus ihrem wahllosen Herumschweifen gerettet. Die Bilder des Mythus müssen die unbemerkt allgegenwärtigen dämonischen Wächter sein, unter deren Hut die junge Seele heranwächst, an deren Zeichen der Mann sich sein Leben und seine Kämpfe deutet: und *selbst der Staat kennt keine mächtigeren ungeschribnen Gesetze als das mythische Fundament, das seinen Zusammenhang mit der Religion, sein Herauswachsen aus mythischen Vorstellungen verbürgt.*

Man stelle jetzt daneben den abstrakten, ohne Mythen geleiteten Menschen, die abstrakte Erziehung, die abstrakte Sitte, das abstrakte Recht, den abstrakten Staat; man vergegenwärtige sich das regellose, von keinem heimischen Mythus gezügelte Schweifen der künstlerischen Phantasie; man denke sich eine Kultur, die keinen festen und heiligen Ursitz hat, sondern alle Möglichkeiten zu erschöpfen und von allen Kulturen sich kümmerlich zu nähren verurteilt ist – das ist die Gegenwart, als das Resultat jenes auf Vernichtung des Mythus gerichteten Sokratismus. Und nun steht der mythenlose Mensch, ewig hungernd, unter allen Vergangenheiten und sucht grabend und wühlend nach Wurzeln, sei es, daß er auch in den entlegensten Altertümern nach ihnen graben müßte. Worauf weist das ungeheure historische Bedürfnis der unbefriedigten modernen Kultur, das Umsichsammeln zahlloser anderer Kulturen, das verzehrende Erkennenwollen, wenn nicht auf den Verlust des Mythus, auf den Verlust der mythischen Heimat, des mythischen Mutterschoßes? Man frage sich, ob das fieberhafte und so unheimliche Sichregen dieser Kultur etwas anderes ist als das gierige Zugreifen und Nach-Nahrung-Haschen des Hungernden – und wer möchte einer solchen Kultur noch etwas geben wollen, die durch alles, was sie verschlingt, nicht zu sättigen ist und bei deren Berührung sich die kräftigste, heilsamste Nahrung in „Historie und Kritik" zu verwandeln pflegt?

Man müßte auch an unserem deutschen Wesen schmerzlich verzweifeln, wenn es bereits in gleicher Weise mit seiner Kultur unlösbar verstrickt, ja eins geworden wäre, wie wir das an dem zivilisierten Frankreich zu unserem Entsetzen beobachten können; und das, was lange Zeit der große Vorzug Frankreichs und die Ursache seines ungeheuren Übergewichts war, ebenjenes Einssein von Volk und

Kultur, dürfte uns bei diesem Anblick nötigen, darin das
Glück zu preisen, daß diese unsere so fragwürdige Kultur
bis jetzt mit dem edeln Kerne unseres Volkscharakters
nichts gemein hat. Alle unsere Hoffnungen strecken sich
vielmehr sehnsuchtsvoll nach jener Wahrnehmung aus, daß
unter diesem unruhig auf und nieder zuckenden Kultur-
leben und Bildungskrampfe eine herrliche, innerlich ge-
sunde, uralte Kraft verborgen liegt, die freilich nur in ungeheuren Momenten sich gewaltig einmal bewegt und dann
wieder einem zukünftigen Erwachen entgegenträumt. Aus
diesem Abgrunde ist die deutsche Reformation hervor-
gewachsen: in deren Choral die Zukunftsweise der deutschen Musik zuerst erklang. So tief, mutig und seelenvoll,
so überschwenglich gut und zart tönte dieser Choral Luthers: als der erste dionysische Lockruf, der aus dichtver-
wachsenem Gebüsch, im Nahen des Frühlings, hervordringt.
Ihm antwortete in wetteiferndem Widerhall jener weihe-
voll übermütige Festzug dionysischer Schwärmer, denen
wir die deutsche Musik danken – und denen wir die W i e -
d e r g e b u r t d e s d e u t s c h e n M y t h u s danken werden!
Ich weiß, daß ich jetzt den teilnehmend folgenden Freund
auf einen hochgelegenen Ort einsamer Betrachtung führen
muß, wo er nur wenige Gefährten haben wird, und rufe
ihm ermutigend zu, daß wir uns an unseren leuchtenden
Führern, den Griechen, festzuhalten haben. Von ihnen haben wir bis jetzt, zur Reinigung unserer ästhetischen Erkenntnis, jene beiden Götterbilder entlehnt, von denen
jedes ein gesondertes Kunstreich für sich beherrscht und
über deren gegenseitige Berührung und Steigerung wir
durch die griechische Tragödie zu einer Ahnung kamen.
Durch ein merkwürdiges Auseinanderreißen beider künstlerischen Urtriebe mußte uns der Untergang der griechischen
Tragödie herbeigeführt erscheinen: mit welchem Vorgange
eine Degeneration und Umwandlung des griechischen
Volkscharakters im Einklang war, uns zu ernstem Nach-

denken auffordernd, wie notwendig und eng die Kunst und das Volk, Mythus und Sitte, Tragödie und Staat in ihren Fundamenten verwachsen sind. Jener Untergang der Tragödie war zugleich der Untergang des Mythus. Bis dahin waren die Griechen unwillkürlich genötigt, alles Erlebte sofort an ihre Mythen anzuknüpfen, ja es nur durch diese Anknüpfung zu begreifen: wodurch auch die nächste Gegenwart ihnen sofort *sub specie aeterni* und in gewissem Sinne als zeitlos erscheinen mußte. In diesen Strom des Zeitlosen aber tauchte sich ebenso der Staat wie die Kunst, um in ihm vor der Last und der Gier des Augenblicks Ruhe zu finden. Und gerade nur so viel ist ein Volk – wie übrigens auch ein Mensch – wert, als es auf seine Erlebnisse den Stempel des Ewigen zu drücken vermag: Denn damit ist es gleichsam entweltlicht und zeigt seine unbewußte innerliche Überzeugung von der Relativität der Zeit und von der wahren, das heißt der metaphysischen Bedeutung des Lebens. Das Gegenteil davon tritt ein, wenn ein Volk anfängt, sich historisch zu begreifen und die mythischen Bollwerke um sich herum zu zertrümmern: womit gewöhnlich eine entschiedene Verweltlichung, ein Bruch mit der unbewußten Metaphysik seines früheren Daseins, in allen ethischen Konsequenzen verbunden ist. Die griechische Kunst und vornehmlich die griechische Tragödie hielt vor allem die Vernichtung des Mythus auf: Man mußte sie mit vernichten, um, losgelöst von dem heimischen Boden, ungezügelt in der Wildnis des Gedankens, der Sitte und der Tat leben zu können. Auch jetzt noch versucht jener metaphysische Trieb, sich eine, wenngleich abgeschwächte Form der Verklärung zu schaffen, in dem zum Leben drängenden Sokratismus der Wissenschaft; aber auf den niederen Stufen führte derselbe Trieb nur zu einem fieberhaften Suchen, das sich allmählich in ein Pandämonium überallher zusammengehäufter Mythen und Superstitionen (Aberglauben) verlor: in dessen Mitte der Hellene dennoch ungestillten

Herzens saß, bis er es verstand, mit griechischer Heiterkeit und griechischem Leichtsinn, als *Gräculus,* jenes Fieber zu maskieren oder in irgendeinem orientalisch dumpfen Aberglauben sich völlig zu betäuben.

Diesem Zustande haben wir uns, seit der Wiedererwekkung des alexandrinisch-römischen Altertums im fünfzehnten Jahrhundert, nach einem langen, schwer zu beschreibenden Zwischenakte, in der auffälligsten Weise angenähert. Auf den Höhen dieselbe überreiche Wissenslust, dasselbe ungesättigte Finderglück, dieselbe ungeheure Verweltlichung, daneben ein heimatloses Herumschweifen, ein gieriges Sichdrängen an fremde Tische, eine leichtsinnige Vergötterung der Gegenwart oder stumpf betäubte Abkehr, alles *sub specie saeculi,* der „Jetztzeit": welche gleichen Symptome auf einen gleichen Mangel im Herzen dieser Kultur zu raten geben: auf die Vernichtung des Mythus. Es scheint kaum möglich zu sein, mit dauerndem Erfolge einen fremden Mythus überzupflanzen, ohne den Baum durch dieses Überpflanzen heillos zu beschädigen: welcher vielleicht einmal stark und gesund genug ist, jenes fremde Element mit furchtbarem Kampfe wieder auszuscheiden, für gewöhnlich aber siech und verkümmert oder in krankhaftem Wuchern sich verzehren muß. Wir halten so viel von dem reinen und kräftigen Kerne des deutschen Wesens, daß wir gerade von ihm jene Ausscheidung gewaltsam eingepflanzter fremder Elemente zu erwarten wagen und es für möglich erachten, daß der deutsche Geist sich auf sich selbst zurückbesinnt. Vielleicht wird mancher meinen, jener Geist müsse seinen Kampf mit der Ausscheidung des Romanischen beginnen: wozu er eine äußerliche Vorbereitung und Ermutigung in der siegreichen Tapferkeit und blutigen Glorie des letzten Krieges erkennen dürfte, die innerliche Nötigung aber in dem Wetteifer suchen muß, der erhabenen Vorkämpfer auf dieser Bahn, Luthers ebensowohl als unserer großen Künstler und Dichter, stets wert

zu sein. Aber nie möge er glauben, ähnliche Kämpfe ohne
seine Hausgötter, ohne seine mythische Heimat, ohne ein
„Wiederbringen" aller deutschen Dinge, kämpfen zu können! Und wenn der Deutsche zagend sich nach einem Führer umblicken sollte, der ihn wieder in die längst verlorne
Heimat zurückbringe, deren Wege und Stege er kaum mehr
kennt – so mag er nur dem wonnig lockenden Rufe des
dionysischen Vogels lauschen, der über ihm sich wiegt und
ihm den Weg dahin deuten will.

24

Wir hatten unter den eigentümlichen Kunstwirkungen der
musikalischen Tragödie eine apollinische Täuschung her-
vorzuheben, durch die wir vor dem unmittelbaren Einssein
mit der dionysischen Musik gerettet werden sollen, während unsre musikalische Erregung sich auf einem apollinischen Gebiete und an einer dazwischengeschobenen
sichtbaren Mittelwelt entladen kann. Dabei glaubten wir
beobachtet zu haben, wie eben durch diese Entladung jene
Mittelwelt des szenischen Vorgangs, überhaupt das Drama,
in einem Grade von innen heraus sichtbar und verständlich
wurde, der in aller sonstigen apollinischen Kunst unerreichbar ist: so daß wir hier, wo diese gleichsam durch den
Geist der Musik beschwingt und emporgetragen war, die
höchste Steigerung ihrer Kräfte und somit in jenem Bruderbunde des Apollo und des Dionysus die Spitze ebensowohl
der apollinischen als der dionysischen Kunstabsichten aner-
kennen mußten.

Freilich erreichte das apollinische Lichtbild gerade bei der
inneren Beleuchtung durch die Musik nicht die eigentümliche Wirkung der schwächeren Grade apollinischer Kunst;
was das Epos oder der beseelte Stein vermögen, das an-
schauende Auge zu jenem ruhigen Entzücken an der Welt
der *Individuatio* zu zwingen, das wollte sich hier, trotz
einer höheren Beseeltheit und Deutlichkeit, nicht erreichen

lassen. Wir schauten das Drama an und drangen mit boh-
rendem Blick in seine innere bewegte Welt der Motive –
und doch war uns, als ob nur ein Gleichnisbild an uns vor-
überzöge, dessen tiefsten Sinn wir fast zu erraten glaubten
und das wir, wie einen Vorhang, fortzuziehen wünschten,
um hinter ihm das Urbild zu erblicken. Die hellste Deutlichkeit des Bildes genügte uns nicht: Denn dieses schien
ebensowohl etwas zu offenbaren als zu verhüllen; und während es mit seiner gleichnisartigen Offenbarung zum Zerrei-
ßen des Schleiers, zur Enthüllung des geheimnisvollen Hintergrundes aufzufordern schien, hielt wiederum gerade jene
durchleuchtete Allsichtbarkeit das Auge gebannt und wehrte
ihm, tiefer zu dringen.

Wer dies nicht erlebt hat, zugleich schauen zu müssen und
zugleich über das Schauen hinaus sich zu sehnen, wird sich
schwerlich vorstellen, wie bestimmt und klar diese beiden
Prozesse bei der Betrachtung des tragischen Mythus nebeneinander bestehen und nebeneinander empfunden werden:
während die wahrhaft ästhetischen Zuschauer mir bestäti-
gen werden, daß unter den eigentümlichen Wirkungen der
Tragödie jenes Nebeneinander die merkwürdigste sei. Man
übertrage sich nun dieses Phänomen des ästhetischen Zuschauers in einen analogen Prozeß im tragischen Künstler,
und man wird die Genesis des tragischen Mythus verstanden haben. Er teilt mit der apollinischen Kunstsphäre
die volle Lust am Schein und am Schauen, und zugleich verneint er diese Lust und hat eine noch höhere Befriedigung
an der Vernichtung der sichtbaren Scheinwelt. Der Inhalt
des tragischen Mythus ist zunächst ein episches Ereignis mit
der Verherrlichung des kämpfenden Helden: Woher stammt
aber jener an sich rätselhafte Zug, daß das Leiden im Schick-
sale des Helden, die schmerzlichsten Überwindungen, die
qualvollsten Gegensätze der Motive, kurz die Exemplifikation jener Weisheit des Silen, oder, ästhetisch ausgedrückt,
das Häßliche und Disharmonische, in so zahllosen Formen,

mit solcher Vorliebe immer von neuem dargestellt wird und gerade in dem üppigsten und jugendlichsten Alter eines Volkes, wenn nicht gerade an diesem allen eine höhere Lust perzipiert wird?

Denn daß es im Leben wirklich so tragisch zugeht, würde am wenigsten die Entstehung einer Kunstform erklären; wenn anders die Kunst nicht nur Nachahmung der Naturwirklichkeit, sondern gerade ein metaphysisches Supplement der Naturwirklichkeit ist, zu deren Überwindung neben sie gestellt. Der tragische Mythus, sofern er überhaupt zur Kunst gehört, nimmt auch vollen Anteil an dieser metaphysischen Verklärungsabsicht der Kunst überhaupt: Was verklärt er aber, wenn er die Erscheinungswelt unter dem Bilde des leidenden Helden vorführt? Die „Realität" dieser Erscheinungswelt am wenigsten, denn er sagt uns gerade: „Seht hin! Seht genau hin! Dies ist euer Leben! Dies ist der Stundenzeiger an eurer Daseinsuhr!"

Und dieses Leben zeigte der Mythus, um es vor uns damit zu verklären? Wenn aber nicht, worin liegt dann die ästhetische Lust, mit der wir auch jene Bilder an uns vorüberziehen lassen? Ich frage nach der ästhetischen Lust und weiß recht wohl, daß viele dieser Bilder außerdem mitunter noch eine moralische Ergetzung, etwa unter der Form des Mitleides oder eines sittlichen Triumphes, erzeugen können. Wer die Wirkung des Tragischen aber allein aus diesen moralischen Quellen ableiten wollte, wie es freilich in der Ästhetik nur allzulange üblich war, der mag nur nicht glauben, etwas für die Kunst damit getan zu haben: die vor allem Reinheit in ihrem Bereiche verlangen muß. Für die Erklärung des tragischen Mythus ist es gerade die erste Forderung, die ihm eigentümliche Lust in der rein ästhetischen Sphäre zu suchen, ohne in das Gebiet des Mitleids, der Furcht, des Sittlich-Erhabenen überzugreifen. Wie kann das Häßliche und das Disharmonische, der Inhalt des tragischen Mythus, eine ästhetische Lust erregen?

Hier nun wird es nötig, uns mit einem kühnen Anlauf in eine Metaphysik der Kunst hineinzuschwingen, indem ich den früheren Satz wiederhole, *daß nur als ein ästhetisches Phänomen das Dasein und die Welt gerechtfertigt erscheint:* in welchem Sinne uns gerade der tragische Mythus zu überzeugen hat, daß selbst das Häßliche und Disharmonische ein künstlerisches Spiel ist, welches der Wille, in der ewigen Fülle seiner Lust, mit sich selbst spielt. Dieses schwer zu fassende Urphänomen der dionysischen Kunst wird aber auf direktem Wege einzig verständlich und unmittelbar erfaßt in der wunderbaren Bedeutung der musikalischen Dissonanz: wie überhaupt die Musik, neben die Welt hingestellt, allein einen Begriff davon geben kann, was unter der Rechtfertigung der Welt als eines ästhetischen Phänomens zu verstehen ist. Die Lust, die der tragische Mythus erzeugt, hat eine gleiche Heimat wie die *lustvolle Empfindung der Dissonanz* in der Musik. Das Dionysische, mit seiner selbst am Schmerz perzipierten Urlust, ist der gemeinsame Geburtsschoß der Musik und des tragischen Mythus.

Sollte sich nicht inzwischen dadurch, daß wir die Musikrelation der Dissonanz zu Hilfe nahmen, jenes schwierige Problem der tragischen Wirkung wesentlich erleichtert haben? Verstehen wir doch jetzt, was es heißen will, in der Tragödie zugleich schauen zu wollen und sich über das Schauen hinaus zu sehnen: welchen Zustand wir in betreff der künstlerisch verwendeten Dissonanz eben so zu charakterisieren hätten, daß wir hören wollen und über das Hören uns zugleich hinaussehnen. Jenes Streben ins Unendliche, der Flügelschlag der Sehnsucht, bei der höchsten Lust an der deutlich perzipierten Wirklichkeit, erinnern daran, daß wir in beiden Zuständen ein dionysisches Phänomen zu erkennen haben, das uns immer von neuem wieder das spielende Aufbauen und Zertrümmern der Individualwelt als den Ausfluß einer Urwelt offenbart, in einer ähnlichen

Weise, wie wenn von Heraklit dem Dunklen die weltbildende Kraft einem Kinde verglichen wird, das spielend Steine hin und her setzt, Sandhaufen aufbaut und wieder einwirft.

Um also die dionysische Befähigung eines Volkes richtig abzuschätzen, dürften wir nicht nur an die Musik des Volkes, sondern ebenso notwendig an den tragischen Mythus dieses Volkes als den zweiten Zeugen jener Befähigung zu denken haben. Es ist nun, bei dieser engsten Verwandtschaft zwischen Musik und Mythus, in gleicher Weise zu vermuten, daß mit einer Entartung und Depravation des einen eine Verkümmerung der anderen verbunden sein wird: wenn anders in der Schwächung des Mythus überhaupt eine Abschwächung des dionysischen Vermögens zum Ausdruck kommt. Über beides dürfte uns aber ein Blick auf die Entwicklung des deutschen Wesens nicht in Zweifel lassen: In der Oper wie in dem abstrakten Charakter unseres mythenlosen Daseins, in einer zur Ergetzlichkeit herabgesunkenen Kunst wie in einem vom Begriff geleiteten Leben, hatte sich uns jene gleich unkünstlerische, als am Leben zehrende Natur des sokratischen Optimismus enthüllt. Zu unserem Troste aber gab es Anzeichen dafür, daß trotzdem der deutsche Geist in herrlicher Gesundheit, Tiefe und dionysischer Kraft unzerstört, gleich einem zum Schlummer niedergesunknen Ritter, in einem unzugänglichen Abgrunde ruhe und träume: aus welchem Abgrunde zu uns das dionysische Lied emporsteigt, um uns zu verstehen zu geben, daß dieser deutsche Ritter auch jetzt noch seinen uralten dionysischen Mythus in selig-ernsten Visionen träumt. Glaube niemand, daß der deutsche Geist seine mythische Heimat auf ewig verloren habe, wenn er so deutlich noch die Vogelstimmen versteht, die von jener Heimat erzählen. Eines Tages wird er sich wach finden, in aller Morgenfrische eines ungeheuren Schlafes: Dann wird er Drachen töten, die tückischen Zwerge vernichten und Brünnhilde erwecken – und Wotans Speer selbst wird seinen Weg nicht hemmen können!

Meine Freunde, ihr, die ihr an die dionysische Musik glaubt, ihr wißt auch, was für uns die Tragödie bedeutet. In ihr haben wir, wiedergeboren aus der Musik, den tragischen Mythus – und in ihm dürft ihr alles hoffen und das Schmerzlichste vergessen! Das Schmerzlichste aber ist für uns alle – die lange Entwürdigung, unter der der deutsche Genius, entfremdet von Haus und Heimat, im Dienst tückischer Zwerge lebte. Ihr versteht das Wort – wie ihr auch, zum Schluß, meine Hoffnungen verstehen werdet.

25

Musik und tragischer Mythus sind in gleicher Weise Ausdruck der dionysischen Befähigung eines Volkes und voneinander untrennbar. Beide entstammen einem Kunstbereiche, das jenseits des Apollinischen liegt; beide verklären eine Region, in deren Lustakkorden die Dissonanz ebenso wie das schreckliche Weltbild reizvoll verklingt; beide spielen mit dem Stachel der Unlust, ihren überaus mächtigen Zauberkünsten vertrauend; beide rechtfertigen durch dieses Spiel die Existenz selbst der „schlechtesten Welt". Hier zeigt sich das Dionysische, an dem Apollinischen gemessen, als die ewige und ursprüngliche Kunstgewalt, die überhaupt die ganze Welt der Erscheinung ins Dasein ruft: in deren Mitte ein neuer Verklärungsschein nötig wird, um die belebte Welt der Individuation im Leben festzuhalten. Könnten wir uns eine Menschwerdung der Dissonanz denken – und was ist sonst der Mensch? –, so würde diese Dissonanz, um leben zu können, eine herrliche Illusion brauchen, die ihr einen Schönheitsschleier über ihr eignes Wesen decke. Dies ist die wahre Kunstabsicht des Apollo: in dessen Namen wir alle jene zahllosen Illusionen des schönen Scheins zusammenfassen, die in jedem Augenblick das Dasein überhaupt lebenswert machen und zum Erleben des nächsten Augenblicks drängen.

Dabei darf von jenem Fundamente aller Existenz, von dem dionysischen Untergrunde der Welt, genau nur so viel dem menschlichen Individuum ins Bewußtsein treten, als von jener apollinischen Verklärungskraft wieder überwunden werden kann, so daß diese beiden Kunsttriebe ihre Kräfte in strenger wechselseitiger Proportion, nach dem Gesetze ewiger Gerechtigkeit, zu entfalten genötigt sind. Wo sich die dionysischen Mächte so ungestüm erheben, wie wir dies erleben, da muß auch bereits Apollo, in eine Wolke gehüllt, zu uns herniedergestiegen sein; dessen üppigste Schönheitswirkungen wohl eine nächste Generation schauen wird.

Daß diese Wirkung aber nötig sei, dies würde jeder am sichersten, durch Intuition, nachempfinden, wenn er einmal, sei es auch im Traume, in eine althellenische Existenz sich zurückversetzt fühlte: im Wandeln unter hohen ionischen Säulengängen, aufwärtsblickend zu einem Horizont, der durch reine und edle Linien abgeschnitten ist, neben sich Widerspiegelungen seiner verklärten Gestalt in leuchtendem Marmor, rings um sich feierlich schreitende oder zart bewegte Menschen, mit harmonisch tönenden Lauten und rhythmischer Gebärdensprache – würde er nicht, bei diesem fortwährenden Einströmen der Schönheit, zu Apollo die Hand erhebend ausrufen müssen: „Seliges Volk der Hellenen! Wie groß muß unter euch Dionysus sein, wenn der delische Gott solche Zauber für nötig hält, um euren dithyrambischen Wahnsinn zu heilen!" – Einem so Gestimmten dürfte aber ein greiser Athener, mit dem erhabenen Auge des Äschylus zu ihm aufblickend, entgegnen: „Sage aber auch dies, du wunderlicher Fremdling: Wieviel mußte dies Volk leiden, um so schön werden zu können! Jetzt aber folge mir zur Tragödie und *opfere* mit mir *im Tempel beider Gottheiten!"*

Johann Wolfgang von Goethe

Ausgewählte Werke in 22 Bänden

Gedichte. Auswahl. Band 453/54

West-östlicher Divan. Mit den ›Noten und Abhandlungen‹. Band 487

Epen. Reineke Fuchs; Hermann und Dorothea; Achilleis. Band 880

Jugenddramen. Götz von Berlichingen; Clavigo; Stella. Band 439

Faust. Der Tragödie erster und zweiter Teil. Band 371

Dramen. Egmont; Iphigenie; Tasso. Band 568

Satiren und Zeitdramen. Das Jahrmarktsfest zu Plundersweilern; Satyros; Götter, Helden und Wieland; Künstlers Erdewallen; Des Künstlers Vergötterung; Hanswursts Hochzeit; Der Triumph der Empfindsamkeit; Der Groß-Cophta; Die Aufgeregten; Paläophron und Neoterpe. Band 890

Die natürliche Tochter und andere Dramen. Die natürliche Tochter; Elpenor; Pandora; Des Epimenides Erwachen. Band 900

Die Leiden des jungen Werthers. Band 461

Wilhelm Meisters Lehrjahre. Band 527/28

Wilhelm Meisters Wanderjahre. Band 752/53

Die Wahlverwandtschaften. Band 394

Novellen. Unterhaltungen deutscher Ausgewanderten; Die guten Weiber; Novelle; Reise der Söhne Megaprazons. Band 860

Dichtung und Wahrheit. Erster und zweiter Teil. Band 806/07

Dichtung und Wahrheit. Dritter und vierter Teil. Band 825/26

Italienische Reise. Auswahl. Band 427

Biographische Schriften. Briefe aus der Schweiz; Aus der ›Reise in die Schweiz 1797‹; Kampagne in Frankreich; Sankt Rochus-Fest zu Bingen. Band 910

WILHELM GOLDMANN VERLAG MÜNCHEN

Biographische Schriften. Briefe aus der Schweiz; Aus der ›Reise in die Schweiz 1797‹; Kampagne in Frankreich; Sankt Rochus-Fest zu Bingen. Band 910

Schriften zur Literatur, Kunst und Natur. Auswahl. Band 930/31

Tagebücher. Auswahl. Band 940/41

Gespräche mit Goethe in den letzten Jahren seines Lebens. Von Johann Peter Eckermann. Auswahl. Band 950/51

Briefe. Auswahl. Band 702/03

Briefwechsel mit Schiller. Auswahl. Band 920/21

Diese Taschenbuchausgabe Ausgewählter Werke Goethes in 22 Bänden enthält jene Dichtungen, Schriften, Gespräche und Briefe Goethes, die der gebildete und bildungshungrige Mensch kennen sollte. Mit ihnen verbindet sich aufs engste der Begriff der deutschen Klassik. Seit der Begründung der Reihe Goldmanns GELBE Taschenbücher bildet die klassische Literatur ihren Mittelpunkt und gibt ihr das unverwechselbar eigene Gepräge. Erst durch das Taschenbuch sind die unvergänglichen Werke der Klassik und, im weiteren Sinne, der Weltliteratur dem Volke wieder zugänglich geworden. Das Taschenbuch dient der Bildung breitester Leserkreise. An diesem Prozeß der Volksbildung haben Goldmanns GELBE Taschenbücher hohen und entscheidenden Anteil. Um dem offenkundigen Bedürfnis vieler Leser aller Schichten Rechnung zu tragen, sich mit den unvergänglichen Werken, die den Begriff Klassik und Weltliteratur verkörpern, vertraut zu machen und des reichen Erbes zu versichern, werden in Goldmanns GELBEN Taschenbüchern nach und nach systematisch alle klassischen Dichter nicht nur der griechischen und römischen, sondern der gesamten abendländischen Literatur, insbesondere auch der deutschen Literatur, erscheinen. Es ist das Bestreben des Verlages, in der Reihe Goldmanns GELBE Taschenbücher insbesondere das Vermächtnis der klassischen Literatur zu bewahren und die Bildung auf breitester Basis zu fördern.

WILHELM GOLDMANN VERLAG MÜNCHEN

Friedrich Schiller

Ausgewählte Werke in 8 Bänden

Gedichte und Balladen. Auswahl. Band 450

Jugenddramen. Die Räuber; Kabale und Liebe; Don Carlos. Band 416

Wallenstein. Wallensteins Lager; Die Piccolomini; Wallensteins Tod. Band 434

Dramen. Die Jungfrau von Orleans; Maria Stuart; Wilhelm Tell. Band 488

Dramen der Spätzeit. Die Braut von Messina; Demetrius. Band 915

Erzählungen. Eine großmütige Handlung; Der Verbrecher aus verlorener Ehre; Spiel des Schicksals; Der Geisterseher. Band 904

Schriften zur Ästhetik, Literatur und Geschichte. Über den Grund des Vergnügens an tragischen Gegenständen; Über das Pathetische; Zerstreute Betrachtungen über verschiedene ästhetische Gegenstände; Über den moralischen Nutzen ästhetischer Sitten; Über das Erhabene; Schema über den Dilettantismus; Briefe über Don Carlos; Über Egmont, Trauerspiel von Goethe; Was heißt und zu welchem Ende studiert man Universalgeschichte? Eine akademische Antrittsrede; Etwas über die Erste Menschengesellschaft nach dem Leitfaden der Mosaischen Urkunde; Die Gesetzgebung des Lykurgus und Solon. Band 925

Schriften zur Philosophie und Kunst. Die Schaubühne als eine moralische Anstalt betrachtet; Über Anmut und Würde; Über die ästhetische Erziehung des Menschen; Über naive und sentimentalische Dichtung. Band 524

Diese Taschenbuchausgabe Ausgewählter Werke Schillers in acht Bänden bietet jene Dichtungen und Schriften, die der gebildete und bildungshungrige Mensch kennen sollte. Als Ergänzung dieser Schiller-Ausgabe ist in der Reihe Goldmanns GELBE Taschenbücher erschienen:
Bernt von Heiseler, Schiller, Leben und Werk, Band 927

WILHELM GOLDMANN VERLAG MÜNCHEN

Goldmanns GELBE Taschenbücher

Heinrich von Kleist

Ausgewählte Werke in 5 Bänden

SÄMTLICHE NOVELLEN

Michael Kohlhaas; Die Marquise von O. . . .; Das Erdbeben in
Chili; Die Verlobung in St. Domingo; Das Bettelweib von
Locarno; Der Findling; Die Heilige Cäcilie oder die Gewalt der
Musik; Der Zweikampf · Band 386

AUSGEWÄHLTE DRAMEN

Prinz Friedrich von Homburg; Der zerbrochene Krug; Das
Käthchen von Heilbronn · Band 400

AMPHITRYON. PENTHESILEA
Band 720

ÜBER DAS MARIONETTENTHEATER
und andere Schriften

Aufsatz, den sichern Weg des Glücks zu finden; Echte Aufklärung
des Weibes; Über die allmähliche Verfertigung der Gedanken
beim Reden; Satirische Briefe; Lehrbuch der französischen Jour-
nalistik; Katechismus der Deutschen; Gebet der Zoroaster;
Anekdote aus dem letzten preußischen Kriege; Betrachtungen
über den Weltlauf; Anekdote aus dem letzten Kriege; Brief
eines Malers an seinen Sohn; Allerneuester Erziehungsplan;
Brief eines jungen Dichters an einen jungen Maler; Von der
Überlegung; Über das Marionettentheater; Brief eines Dichters
an einen anderen; u. a. Schriften. Gedichte · Band 988

BRIEFE AUS DEN JAHREN 1799-1811
Auswahl · Band 989

WILHELM GOLDMANN VERLAG MÜNCHEN

Clemens Brentano

Ausgewählte Werke in 5 Bänden

GEDICHTE
Auswahl
Band 1328

MÄRCHEN I
Italienische Märchen

Das Märchen von den Märchen oder Liebseelchen; Das Märchen von dem Myrtenfräulein; Das Märchen von dem Schulmeister Klopfstock und seinen fünf Söhnen; Das Märchen vom Fanferlieschen Schönefüßchen; Das Märchen von Gockel und Hinkel.
Band 1363

MÄRCHEN II
Rheinmärchen

Das Märchen von dem Rhein und dem Müller Radlauf; Das Märchen von dem Hause Starenberg und den Ahnen des Müllers Radlauf.
Band 1454

ERZÄHLUNGEN
Die Chronika des fahrenden Schülers; Der schiffbrüchige Galeerensklave vom toten Meer; Die Schachtel mit der Friedenspuppe; Die mehreren Wehmüller und ungarischen Nationalgesichter; Geschichte vom braven Kasperl und dem schönen Annerl.
Band 1459

BRIEFE AUS DEN JAHREN 1796-1842
Auswahl
Band 1479

WILHELM GOLDMANN VERLAG MÜNCHEN

Heinrich Heine

Ausgewählte Werke in 5 Bänden

BUCH DER LIEDER
Band 367

AUSGEWÄHLTE PROSA

Florentinische Nächte · Das Buch Le Grand
Aus den Memoiren des Herrn von Schnabelewopski
Der Rabbi von Bacharach

Band 385

REISEBILDER

Die Harzreise · Die Nordsee · Die Bäder von
Lucca · Die Stadt Lucca

Band 410

DEUTSCHLAND, EIN WINTERMÄRCHEN
ATTA TROLL · ZEITKRITISCHE SCHRIFTEN
Band 444

DIE ROMANTISCHE SCHULE · SPÄTE LYRIK
Band 961

Diese Taschenbuchausgabe Ausgewählter Werke Heines in fünf
Bänden enthält das Buch der Lieder, die beiden satirischen Vers-
epen und die Romantische Schule in einer vollständigen Fassung,
die wichtigsten Prosaschriften und die Späte Lyrik in Auswahl.

WILHELM GOLDMANN VERLAG MÜNCHEN

Goldmanns GELBE Taschenbücher

Klassische Werke der deutschen Literatur

WILHELM GOLDMANN VERLAG MÜNCHEN

WILHELM GOLDMANN VERLAG MÜNCHEN

WILHELM GOLDMANN VERLAG MÜNCHEN

WILHELM GOLDMANN VERLAG MÜNCHEN

WILHELM GOLDMANN VERLAG MÜNCHEN

Die mit * gekennzeichneten Bände wurden gekürzt bzw. bearbeitet.

WILHELM GOLDMANN VERLAG MÜNCHEN

Goldmanns GELBE Taschenbücher

Griechische und lateinische Literatur

WILHELM GOLDMANN VERLAG MÜNCHEN

WILHELM GOLDMANN VERLAG MÜNCHEN

*Die mit * gekennzeichneten Bände wurden gekürzt bzw. bearbeitet.*

WILHELM GOLDMANN VERLAG MÜNCHEN

ROBERT FLACELIÈRE

Literaturgeschichte Griechenlands

618 Seiten Großoktav. Mit 32 Abbildungen.
Leinen DM 48.-

ROBERT FLACELIÈRE, Gräzist der Sorbonne, bietet in diesem
Buch eine Literaturgeschichte Griechenlands von den Anfängen,
dem neunten und achten Jahrhundert v. Chr., bis zur hellenisti-
schen und römischen Epoche, zum dritten Jahrhundert n. Chr.
Die Darstellung beginnt mit Homer und schließt mit Plotin. Der
Autor zeigt die Entwicklung der literarischen Gattungen, des
Epos, der Lyrik und des Dramas, der Geschichtsschreibung, Philosophie und Rhetorik; er würdigt die Persönlichkeiten der Dichter und Prosaiker und erschließt ihre den Geist des Abendlandes
entscheidend prägenden und bis zur Gegenwart befruchtenden
Schöpfungen. Nicht aber ist die Literatur der griechischen Antike
der einzige Gegenstand dieses Buches, und nicht gibt die literar-
geschichtliche Systematik seinen Rahmen ab; ihn bilden vielmehr
die Geschichte und die Kunst einer jeden Epoche. Flacelière erfaßt die Literatur im Zusammenhang der politischen Geschichte,
der Wirtschafts-, Kunst- und Wissenschaftsgeschichte; er läßt die
Bedeutung der geistes- und kulturgeschichtlichen Situation für
die Literatur erkennen und lehrt Entstehung und Rang der literarischen Schöpfungen besser begreifen. Mit der Absicht, eine
griechische Geschichte an Hand der bedeutendsten literarischen
Zeugnisse zu schreiben, zeichnet der Autor ein Gesamtbild der
griechischen Kultur. So wendet sich dieses Buch ebenso an Studie-
rende wie an einen größeren Kreis von interessierten Laien, Lieb-
habern der griechischen Antike in allen ihren Geistesformen.

*Der hier genannte Preis entspricht dem Stand vom Herbst 1966 und
kann sich nach wirtschaftlichen Notwendigkeiten ändern.*

WILHELM GOLDMANN VERLAG MÜNCHEN

Lieber Leser,

wir freuen uns, wenn Sie diese Karte ausgefüllt wieder an uns zurücksenden. Bitte vergessen Sie nicht, den genauen Absender anzugeben, damit wir Ihnen unsere Kataloge schicken können.

WILHELM GOLDMANN VERLAG 8 MÜNCHEN 8

Bitte hier abschneiden

Aus Ihrem Verlag interessiere ich mich für:

- ○ Romane
- ○ Erzählungen
- ○ Lyrik
- ○ Klassiker der Weltliteratur
- ○ Heitere Bücher
- ○ Kunst
- ○ Religion
- ○ Geschichte
- ○ Politik
- ○ Gesetzestexte
- ○ Juristische und Wirtschafts-Sachbücher
- ○ Medizin und Psychologie
- ○ Fremde Länder und Völker
- ○ Atlanten
- ○ Lektüre für Schule und Unterricht
- ○ Kriminalromane
- ○ Zukunftsromane

Lieber Leser dieses Buches!

Wir begrüßen Sie im Kreise unserer Verlagsfreunde und möchten mit Ihnen in Verbindung bleiben. Wir sind Ihnen dankbar, wenn Sie uns Ihre Wünsche, Ihre Anregungen und Ihre Kritik mitteilen, und werden Sie in Zukunft regelmäßig über unsere Verlagsarbeit und unsere Neuerscheinungen orientieren.

Name:

Vorname:

Beruf:

Wohnort:

Straße:

Diese Karte entnahm ich dem Buch:

Goldmann-Bücher erhalten Sie in allen Buchhandlungen, in vielen Kaufhäusern und an den meisten Bahnhofskiosken überall in der Welt, wo deutsche Bücher verkauft werden.

Kritik und Anregungen:

XXV · 266 · 3200

Wilhelm Goldmann Verlag

8000 MÜNCHEN 8
Postfach 205